collection

L'heure
évasion

Roman jeunesse

Depuis le 1er avril 2004, les Éditions HRW affichent
une nouvelle raison sociale, soit Éditions Grand Duc ▪ HRW.

Éditions Grand Duc ▪ HRW
Groupe Éducalivres inc.
955, rue Bergar, Laval (Québec) H7L 4Z6
Téléphone : (514) 334-8466 ▪ Télécopie : (514) 334-8387
InfoService : 1 800 567-3671

L'heure évasion

▼

Dans la même collection :

La vallée
de Madenort

▼

Maryse Côté

La vallée de Madenort
Côté, Maryse
Collection L'heure évasion

© 2006, **Éditions Grand Duc ∎ HRW,** une division du Groupe Éducalivres inc.
Tous droits réservés

Nous reconnaissons l'aide financière du gouvernement du Canada
par l'entremise du Programme d'aide au développement de l'industrie
de l'édition (PADIÉ) pour nos activités d'édition.

Gouvernement du Québec – Programme de crédit d'impôt pour l'édition
de livres – Gestion SODEC

CONCEPTION GRAPHIQUE : Stéphanie Delisle et Pierrette LaFrance
ILLUSTRATIONS : Claude Bordeleau, Bertrand Lachance et
Pierre Rousseau

CODE PRODUIT 3592
ISBN 2-7655-0106-8

Dépôt légal
Bibliothèque et Archives nationales du Québec, 2006
Bibliothèque et Archives Canada, 2006

Imprimé au Canada
1 2 3 4 5 6 7 8 9 G 5 4 3 2 1 0 9 8 7 6

Table des chapitres

▼

*À Reynald Julien,
mon professeur de français de 5ᵉ secondaire,
sans qui je n'aurais pu réaliser
mon rêve de petite fille.*

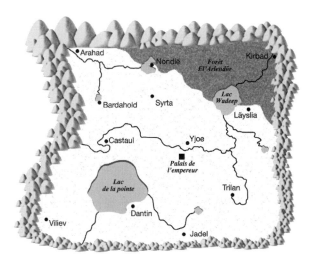

Prologue

La lune était haute dans le ciel et ses rayons baignaient le pays d'une lueur fantomatique. Le silence et la paix régnaient sur les villes et les villages de la région. Tous les habitants étaient profondément endormis.

La vallée de Madenort était un petit pays entouré de montagnes. De nombreuses légendes circulaient sur le fait que derrière ces montagnes se cachaient des créatures horribles tout droit sorties du monde des ténèbres, et l'empereur ne les avait jamais démenties. L'empereur était un homme plutôt craint de ses sujets, puisqu'on ne l'avait jamais réellement vu en personne. Toutefois, il s'efforçait de faire régner la paix et l'ordre dans le pays, et cela suffisait amplement à tous les habitants de cette petite société féodale.

Néanmoins, si les gens avaient vraiment pris la peine de se demander depuis combien de temps il gouvernait, certains auraient compris qu'il y avait quelque chose de pas très net. On pouvait souvent entendre des vieillards raconter les exploits de l'empereur lorsqu'ils étaient eux-mêmes tout jeunes ou encore lorsque leurs parents l'étaient, ce qui signifiait que l'empereur était au pouvoir depuis très longtemps.

Certains attribuaient le secret de sa longévité à son conseiller, un certain Wulfrid, un magicien puissant qui lui concoctait toutes sortes de potions afin d'allonger sa vie. La population craignait que celui-ci utilise de sombres procédés de magie noire, mais personne n'osait exprimer une telle crainte au grand jour. La magie était plutôt monnaie courante dans la vallée de Madenort, plusieurs la pratiquaient, mais la magie noire était un sujet évité dans le pays.

En réalité, on ne connaissait pas grand-chose de l'empereur mis à part les prouesses qu'il aurait soi-disant réalisées, et il fallait noter que, avec le temps, elles avaient toutes été embellies par les conteurs qui y ajoutaient toujours leur grain de sel.

On disait qu'il avait combattu des dragons, qu'il avait maintes fois sauvé la vallée de l'assaut des forces des ténèbres, cachées derrière les montagnes, et que sous son pouvoir la paix avait toujours régné dans le pays. Les gens ignoraient d'où il venait, supposant qu'il était le fils de l'empereur qui avait régné avant lui, mais cela remontait si loin dans le temps que personne ne pouvait s'en souvenir.

L'empereur était paisiblement assis dans la salle du trône, malgré l'heure tardive de la nuit. Il attendait Wulfrid, son bras droit, qu'il avait fait quérir. Celui-ci ne tarda pas à se montrer. Il s'inclina devant son souverain et déclara d'une voix grinçante :

– Vous m'avez fait demander, mon seigneur. Que puis-je faire pour vous ?

L'empereur le fixa d'un regard que l'on pouvait deviner glacé malgré la pénombre qui l'enveloppait et lui lança de sa voix d'outre-tombe :

– Tu sais pourquoi je t'ai fait venir, Wulfrid. Comme aucun soldat de ta patrouille n'est revenu vivant de la dernière mission, nous manquons de combattants. Il faut t'acquitter de ta tâche habituelle et rassembler tous les criminels détenus en cellule dans la vallée de Madenort. Pars dès ce soir ! Partage les différentes villes du pays entre toi et les derniers hommes qui te restent. Ne dis pas aux prisonniers que tu ramèneras pourquoi tu les mènes jusqu'à moi. S'ils vous causent des problèmes, à toi et à tes hommes, je vous donne la permission de les faire souffrir un peu afin de les calmer, mais je les veux en vie. Tu peux partir, maintenant, dit-il avec un geste signifiant que Wulfrid pouvait disposer.

Le conseiller s'inclina de nouveau devant lui.

– Cela veut dire que nous aurons bientôt droit au spectacle, dit-il, ses yeux brillants de malice.

– En effet, mon cher, lui répondit l'empereur, tout sourire. En effet.

Sur ce, le petit homme releva sa capuche afin de cacher son visage ravagé par les ténèbres et se dépêcha de partir, prêt à accomplir une mission que son maître lui avait déjà maintes fois confiée.

Chapitre 1

Un vol risqué

Ian avait l'estomac qui gargouillait depuis le petit matin. Il y avait plusieurs jours qu'il n'avait pas eu grand-chose à manger et cela commençait à avoir un effet sur son humeur. Le soleil était sur le point de se coucher et il n'avait toujours rien avalé. Quelques heures plus tôt, il avait repéré ce qui pourrait lui servir de repas : un gros pain posé sur l'étalage d'un marchand, mais il n'avait toujours pas trouvé l'occasion de le dérober sans se faire prendre. Il restait dans l'ombre et attendait que l'instant propice se présente.

Ian était ignorant dans bien des domaines ; va-nu-pieds depuis l'âge de quatre ans, il n'avait jamais reçu de véritable éducation. Toutefois, il y avait une chose qu'aucun paysan ou marchand de la ville ne connaissait mieux que lui : l'art de voler. Ayant vécu presque toute sa vie dans la rue à la suite de l'incendie de sa maison, douze ans auparavant, il était depuis longtemps passé maître dans ce domaine. Le feu qui l'avait rendu à la fois orphelin de mère et sans-abri aurait, selon les dires des gens qui étaient sur place ce jour-là, été allumé par son père, qu'il n'avait plus jamais revu.

Il ne s'était fait prendre qu'une fois à voler, une seule fois, et il s'était juré que plus jamais cela n'arriverait. C'est pourquoi il attendait, accroupi dans l'ombre d'une ruelle, le moment opportun pour chaparder le pain que le marchand avait posé sur son étalage il y avait un peu moins de trois heures.

Soudain, ce moment se présenta. Un autre gueux démuni comme lui s'avança lentement vers un étalage et s'empara d'un chapon bien dodu avant de prendre ses jambes à son cou et de s'enfuir. Ian fut surpris par la rapidité d'exécution du jeune garçon, mais il ne put s'empêcher de déplorer son manque total de subtilité. Dès le moment où il s'était mis à courir, tout le monde aux alentours, y compris les marchands, s'était lancé à sa poursuite. C'était l'occasion rêvée pour Ian. Il sortit de la pénombre de sa cachette. La lumière éclatante du soleil déclinant l'éblouit. Il se dirigea à pas feutrés mais assurés vers l'étalage de pains et s'empara de celui qui l'intéressait. Il le glissa sous ses haillons et, d'un air dégagé, continua son chemin en sens inverse de la mêlée générale à laquelle des gardes royaux s'étaient à présent ajoutés.

Comme toujours, personne ne sembla remarquer sa présence et encore moins le geste qu'il venait de faire. Il adorait vraiment cette ville, tout y était tellement facile pour les gens comme lui, s'ils avaient un tant soit peu de jugement.

Tout à coup, alors qu'Ian croyait pouvoir terminer sa journée le ventre plein, le marchand revint à son éventaire et remarqua la disparition du pain. Il se mit à pester avec rage contre le « sale pouilleux » qui lui avait fait le coup. Ian accéléra le pas afin d'être sûr qu'il ne le remarquerait pas. Il sentit que l'homme avait les yeux posés sur lui. Soudain, le cœur d'Ian tomba dans sa poitrine lorsqu'il entendit l'homme s'écrier :

– Au voleur ! Il m'a volé ! C'est lui, là-bas !

Tout en se demandant comment il avait fait pour le démasquer, Ian se mit à courir aussi vite que le lui permettaient ses jambes. Il s'aperçut alors que le pain dépassait de son manteau et était bien visible pour tous. Il jura et continua sa course folle. Comment avait-il pu être aussi idiot ? Et lui qui se moquait de l'autre garçon qui s'était fait prendre avant lui. Il ne valait pas mieux !

Il entendit des gardes s'élancer à sa poursuite. Sortant son butin, il le dévora tout en tentant d'échapper à ses poursuivants. Il n'était quand même pas question de rendre son repas si durement acquis !

– Arrête-toi, misérable, ou nous userons de la force contre toi !

– Commencez donc par essayer de m'attraper, si vous en êtes capables ! leur lança-t-il par-dessus son épaule, la bouche pleine.

Ian connaissait par cœur chaque petit recoin de la ville, il serait facile pour lui de les semer. Il sentait d'ailleurs que les gardes commençaient déjà à se fatiguer derrière lui. Ces lourdauds courts sur pattes n'avaient aucune chance de le rattraper. Le corps mince et agile d'Ian lui permettait de se faufiler parmi la foule alors qu'eux se frayeraient difficilement un passage à travers la masse de gens dans les rues.

Il jeta donc un coup d'œil derrière lui, presque sûr d'avoir semé ses assaillants. Il éclata de rire : il en avait distancé deux sur trois. Derrière lui, il ne restait qu'un seul garde, qui soufflait comme un bœuf. À l'intersection, Ian bifurqua à gauche, et ce qu'il vit lui fit perdre l'équilibre.

Au bout de l'allée se trouvaient les deux autres gardes qu'il croyait avoir réussi à mettre hors jeu. Ils couraient vers lui, leurs épées levées bien haut. Ian trébucha contre un étal de fruits et tomba à la renverse en amenant tout dans sa chute. Il se retrouva englouti sous une avalanche de fruits et, aussitôt, trois épées se posèrent sur sa gorge. Le marchand à qui appartenait l'étal ne semblait rien comprendre à ce qui venait de se produire. Abasourdi, il regardait Ian et ses fruits répandus par terre.

Ian déglutit avec difficulté et se mit à réfléchir à toute vitesse. Comment allait-il pouvoir se sortir de là ? Il ne connaissait que trop bien la punition infligée aux voleurs dans la ville de Jadel. La dernière fois, il avait eu droit au fouet et il s'était juré que plus jamais cela ne lui arriverait. Pourtant, il était clair qu'il allait subir ce châtiment encore une fois. Ian serra les dents à l'idée de ce qui l'attendait.

– Allez, messieurs, je suis sûr que l'on peut discuter de tout ça calmement, sans faire d'histoires, plaida-t-il d'un ton peu convaincu.

Il respirait lentement, sentant à chaque inspiration la pression des épées sur sa gorge.

– Oh ! mais bien sûr ! lui répondit l'un des gardes d'un ton sarcastique. Lève-toi et *ne fais pas d'histoires*. Voilà comment on va discuter. Tu nous suis et tu ne dis pas un mot.

Ian se releva en tremblant de tous ses membres. Une foule s'était massée autour d'eux et l'observait d'un œil dégoûté. Les gens murmuraient entre eux contre les « petits voleurs de son espèce » qui devraient tous finir leur vie à moisir en prison ou à se balancer au bout d'une corde. Ian baissa les yeux afin de ne pas voir tous ces regards remplis de haine et de colère posés sur lui et il suivit les gardes sans broncher. Il savait qu'il était inutile d'essayer de s'enfuir. Il préférait encore passer quelques moments désagréables en prison plutôt que de finir pendu.

Les gardes le conduisirent à travers les rues de la ville vers l'endroit que tout mendiant qui se respecte évitait avec soin : la prison. Ian savait que les prochains jours risquaient de ne pas être joyeux, mais au moins il était toujours en vie et en plus il avait le ventre plein.

Il fut jeté sans délicatesse dans une petite cellule qui sentait vaguement le moisi. Il s'assit en tailleur et observa les lieux.

Il se trouvait dans la même cellule que la dernière fois, avec la même petite couchette de paille dans un coin, près de la minuscule fenêtre à barreaux qui donnait sur la rue. On ne pouvait y voir que les roues des charrettes et les pieds des gens qui s'y promenaient. Il resta assis là à attendre. Qu'avait-il de mieux à faire, de toute façon? Il ferma les yeux et laissa son esprit vagabonder.

Bientôt, il entendit quelqu'un approcher de sa cellule. Il ouvrit les yeux et s'aperçut, en regardant par la fenêtre, que la noirceur était tombée. Un garde s'arrêta devant sa porte et l'ouvrit. Il lui ordonna de se lever, ce qu'Ian fit sans rouspéter. Il n'avait pas envie d'aggraver sa peine en refusant de coopérer. Il se laissa donc mener dans le dédale de corridors jusqu'à l'endroit où il devait recevoir les quinze coups de fouet administrés aux voleurs.

Quand il fut arrivé à destination, un homme l'attendait, un fouet à la main. Ian le regarda avec dignité, puis, sans le quitter des yeux, retira sa chemise et se plaça comme il se devait. L'homme émit un petit rire mesquin à la vue de son dos qui était déjà taillalé.

Les coups qu'Ian reçut résonnèrent et leur écho s'ajouta aux autres que l'on pouvait déjà entendre, mais Ian ne joignit pas ses cris à ceux des autres prisonniers subissant le même sort. Il serra les dents et les poings le plus fort qu'il pouvait afin d'étouffer la douleur insoutenable qu'il éprouvait à chaque coup.

Chapitre 2

Le collecteur

Le lendemain matin, lorsqu'il fut réveillé par les premiers rayons de soleil, Ian était fourbu et avait l'impression de n'avoir dormi que quelques minutes. Il ne se souvenait pas d'avoir été reconduit jusqu'à sa cellule la veille, mais il s'y trouvait bel et bien.

Il s'étira lentement, à la manière d'un félin, et passa une main dans ses cheveux bruns. Puis il s'assit et regarda autour de lui.

Il savait, selon son expérience passée, qu'il serait bientôt relâché. Il avait reçu la correction due et avait maintenant hâte de sortir de ce trou à rats. Un garde arriva bientôt à sa cellule et ouvrit la porte. Comme Ian s'apprêtait à sortir, l'homme le prit par le bras pour l'en empêcher.

– Pas si vite, tu n'es pas libre. Il est arrivé, alors tu vas venir avec moi, je vais te conduire jusqu'à lui.

– Quoi ? Mais qu'est-ce que tu veux dire par « il est arrivé » ? Qui est arrivé ? demanda Ian qui ne comprenait absolument rien à ce que le garde lui racontait.

L'homme eut un sourire étrange et ses yeux brillèrent d'une lueur qu'Ian ne parvint pas à déchiffrer.

– Lui, enfin un des *collecteurs*. Environ une fois par mois, l'empereur nous envoie l'un d'eux. Il nous débarrasse de tous les prisonniers et les emmène chez l'empereur. J'ignore pourquoi, continua-t-il, peu convaincant. Tout ce que je sais, c'est qu'une fois que les prisonniers sont emmenés là-bas on ne les revoit plus jamais.

Ian déglutit avec difficulté.

– Tu veux dire qu'il y en a un ici en ce moment ? demanda-t-il.

– Oui, il attend dehors. Allons-y, je n'ai pas tellement envie de le faire attendre plus longtemps.

Sur ce, il resserra sa prise sur le bras d'Ian, qu'il tira ensuite vers la sortie.

Le jeune homme se laissa faire, trop abasourdi par ce qu'il venait d'apprendre pour offrir la moindre résistance. On allait l'emmener voir l'empereur avec un tas d'autres prisonniers. Pourquoi ? Qu'allait-on lui faire là-bas ? Peut-être subirait-il un procès. Non, sûrement pas, pensa-t-il. Si on ne revoyait jamais les hommes menés à cet endroit, c'était probablement parce qu'on leur infligeait la peine de mort… Ian n'osa pas penser à cette éventualité, trop effrayé par ce qui l'attendait.

Il fut tiré de ses réflexions par la vive clarté de la lumière du soleil. Devant lui se trouvait une énorme charrette toute grillagée à l'arrière, qui ressemblait étrangement à celles qu'on utilisait pour le transport d'animaux. Des hommes étaient en train de monter dans la cage ainsi formée à l'arrière, rejoignant les autres qui venaient d'autres villes du pays. Ils étaient guidés par les nombreux gardiens de la prison qui s'étaient rassemblés autour de la charrette.

Ian monta à son tour dans la cage et observa ceux qui y étaient déjà entassés. La plupart étaient des hommes, mais il y avait également quelques femmes. Lorsque tous furent montés, la porte de la grille fut fermée et la charrette se mit en route, le bruit des sabots des grands chevaux noirs résonnant sur le sol. Ian reprit soudain ses esprits et se racla la gorge.

– Bonjour, dit-il à ses compagnons d'infortune d'une voix timide. Je… je m'appelle Ian.

Tous le regardèrent sans répondre. Le sourire que Ian s'efforçait d'afficher s'estompa peu à peu.

– Bonjour, lui répondit soudain un des hommes. Moi, c'est Kyne.

– Eh bien bonjour, répondit Ian. Euh… je voudrais savoir… est-ce qu'on se rend vraiment au palais de l'empereur ?

Les autres hochèrent la tête.

– Oh ! bon sang…, murmura Ian.

– Tu l'as dit, répondit Kyne. Je crois qu'il ne reste plus qu'un arrêt à la ville de Dantin avant qu'on se rende directement là-bas. On devrait atteindre cette ville d'ici environ trois jours. Ensuite, je crois bien qu'il nous faudra encore une autre journée avant d'arriver au palais.

Ian soupira. Cela lui laissait donc quatre jours pour trouver une façon de s'échapper.

Il fit part aux autres de son désir de s'échapper. Ses compagnons le regardèrent tous comme s'il était fou.

– Tu veux rire ? répondit un grand chauve. Celui qui conduit la charrette, enfin, le *collecteur,* je ne sais pas ce qu'il est, mais en tout cas il n'est pas humain, ça, je peux te le garantir. Il n'a jamais enlevé sa capuche depuis que je suis ici, mais j'ai vu ses yeux et je peux te dire que tant que je serai en présence de cette… cette chose, je resterai bien tranquille. Je n'ai pas du tout envie de l'avoir sur le dos !

– Mais, répliqua Ian, si l'on ne tente rien, on se condamne à une mort certaine !

Aucun des prisonniers ne répondit, tous absorbés par le plancher de la charrette qui semblait soudainement leur paraître très intéressant.

Le jeune homme fulminait. Comment ces imbéciles pouvaient-ils restés assis là, sans rien faire ? Une chose était sûre, lui ne resterait pas les bras croisés. Peu lui importait que le cocher soit un peu étrange. Tout ce qu'il voulait, c'était sortir de là. Jusqu'ici, il s'était laissé entraîner, mais, maintenant, il allait tout faire pour s'évader. Il ne parla plus aux autres prisonniers du reste de la journée, son esprit trop préoccupé à trouver des moyens de s'échapper. À vrai dire, il n'y en avait pas énormément, mais il comptait bien en trouver un.

Lorsqu'il commença à faire noir, les détenus se couchèrent sur le plancher de la charrette, empilés comme des bêtes. L'odeur qui se dégageait du plancher était si pénétrante qu'Ian en eut la tête qui tourna. C'est ainsi que plusieurs s'endormirent, alors que la charrette continuait son chemin à travers les vastes champs en direction de Dantin.

La troisième journée de leur voyage, les prisonniers pénétrèrent dans la ville et furent accueillis par le brouhaha tout autour d'eux. L'aube était à peine levée et déjà les marchands locaux préparaient leurs étalages de produits frais.

Les enfants couraient et criaient dans la rue. Certains se mirent à suivre la charrette en donnant des coups sur les barreaux avec des morceaux de bois trouvés par terre, tout en riant aux éclats. La voiture se dirigeait à présent vers la prison pour aller chercher les derniers prisonniers. Il ne fallut pas grand temps avant d'arriver à destination.

Ian se dit que c'était sans doute la seule occasion qu'il aurait de s'échapper. Il se faufila parmi les autres de façon à être le plus près possible de la porte de la cage. Alors que les gardiens de la prison locale l'ouvraient pour laisser entrer les quelque dix criminels qui attendaient en file indienne, il en profita pour sauter au-dehors, puis il s'enfuit en courant comme un fou dans les rues de cette ville qui lui était inconnue. Les gardes se mirent à hurler et plusieurs se lancèrent à sa poursuite, tandis que deux autres restaient sur place pour empêcher les détenus de se sauver et les forcer à monter à bord de l'immense cachot.

Puis, tout se passa en un éclair. Alors qu'Ian courait aussi vite que ses jambes endolories le lui permettaient, le collecteur se leva de son siège et tendit les bras en direction du fuyard.

Soudain, le jeune homme eut l'impression que son corps tout entier se consumait. Des flammes invisibles léchaient ses membres, son torse et son visage, provoquant chez lui une douleur insoutenable. Il ne pouvait plus avancer et, sous l'effet de la souffrance, il se jeta par terre en hurlant comme un dément. Les gardes qui finirent par le rattraper ne savaient pas trop quoi faire. L'un d'eux sortit enfin de la stupeur dans laquelle l'avait plongé la vue d'Ian se tordant de douleur sans raison apparente et il lui saisit le bras. Le mal qui accablait le jeune homme se dissipa aussitôt.

L'homme qui le tenait le releva sur ses pieds. Ian tenta de se ressaisir et se laissa traîner jusqu'à la charrette, trop épuisé et abasourdi pour opposer la moindre résistance, son corps parcouru de tremblements incontrôlables. C'en était fini de ses espoirs de fuite.

Tandis que les surveillants tentaient de faire remonter le jeune homme dans la cage, le collecteur vint les rejoindre.

– Je m'en charge, leur dit-il.

Ian frissonna en entendant sa voix traînante qui semblait venir d'outre-tombe.

Le collecteur se tourna vers lui et Ian put voir ses yeux rouges briller d'un éclat surnaturel sous sa capuche. Il ouvrit la bouche de nouveau et siffla entre ses dents de son horrible voix.

– Si jamais tu t'avises de recommencer…

Il n'eut pas besoin de terminer sa menace. Ian cilla et se laissa jeter violemment au fond de la cage.

Le collecteur retourna s'asseoir à sa place à l'avant et ordonna aux chevaux de reprendre le chemin.

Lorsque Ian tomba à plat ventre sur le plancher de la cage, l'odeur de la paille emplit ses narines. Le plancher vibra, signe qu'ils s'étaient remis en route. Ian se releva tant bien que mal et s'assit dans un coin. Les autres prisonniers l'observaient d'un air apeuré, comme s'ils craignaient de subir le même châtiment. Ian n'osait les regarder. Il restait dans son coin, les yeux fixés sur ses pieds.

Soudain, une voix féminine s'éleva parmi eux :

– Je dois dire que c'était bien essayé, dit-elle, d'un ton plein de moquerie. Mais tout à fait inutile.

Ian releva la tête et se trouva face à face avec une jeune fille qui devait avoir deux ans de moins que lui. Malgré les nombreux signes qui démontraient qu'elle avait passé un assez désagréable séjour à la prison de Dantin, elle était plutôt jolie.

De longs cheveux roux quelque peu emmêlés descendaient en cascade sur ses délicates épaules. De ses grands yeux verts soulignés de cernes, elle l'observait d'un air rieur, et les petites taches brunes qui parsemaient son visage lui donnaient un air quelque peu enfantin. Elle portait une jupe et un corsage, troués en quelques endroits, d'un vert pâle qui faisait ressortir la couleur éclatante de ses yeux. Son sourire fit littéralement fondre

Ian sur place. Il dut se secouer pour reprendre ses esprits, avant d'être capable d'articuler une phrase intelligible.

– Mais qu'est-ce que tu fais ici ?

– Eh bien, la même chose que toi, lui dit-elle, surprise par la question du jeune homme. J'ai été arrêtée et je vais voir l'empereur.

– Mais pourquoi ? demanda Ian, étonné.

– Oh ! fit-elle, rougissante. Tu es bien curieux. Tout d'abord, je m'appelle Amy, dit-elle en tendant la main à Ian, qui la serra et se présenta à son tour. Pour tout te dire, continua-t-elle, j'ai été arrêtée parce qu'on m'a injustement soupçonnée de pratiquer la magie noire.

– Quoi ? s'exclama-t-il. Tu veux dire que tu es une sorcière ? Tu… tu t'adonnes vraiment à la magie noire ?

– Bien sûr que non ! Je dois tout de même avouer que, oui, je suis une sorcière, mais je n'ai jamais touché à la magie noire. Dans le village d'où je viens, seuls les hommes peuvent devenir magiciens. Quand les villageois m'ont découverte, ils ont immédiatement cru que j'étais une disciple du diable ou quelque chose de la sorte… Le magicien le plus puissant de l'endroit m'a alors jeté un sort m'empêchant de pratiquer la magie pendant une période de temps dont j'ignore malheureusement la durée. Et toi, maintenant, pourquoi es-tu ici ? voulut-elle savoir.

– Pour la même raison que la plupart des gens qui sont ici, j'imagine, dit-il en jetant un regard autour de lui. J'avais faim, alors j'ai *emprunté* sans permission un petit quelque chose, et je me suis fait prendre, voilà tout.

— Classique, commenta-t-elle en ricanant.

Autour d'eux, les autres, qui jusque-là n'avaient fait que les dévisager et écouter leur conversation, se joignirent à eux, racontant à tour de rôle les raisons qui expliquaient pourquoi on les menait à l'empereur.

Les éclats de rire qui suivirent une explication particulièrement farfelue firent sursauter un homme aux cheveux blonds qui fixait le vide depuis le début du voyage. Il regarda les gens autour de lui comme s'il venait tout juste de s'apercevoir de leur présence.

— Et toi? Pourquoi es-tu ici? l'interrogea doucement Amy.

— Ne perds pas ton temps avec lui, ma jolie, lui dit un barbu. Il n'a pas ouvert la bouche depuis qu'il est avec nous. Il reste là, le regard absent, à marmonner des paroles incompréhensibles. Je crois bien qu'il est fou!

Amy lui lança un regard noir qui le fit taire aussitôt. Se retournant ensuite vers le blond, elle lui reposa sa question:

— Qui es-tu? Pourquoi es-tu ici?

L'homme, ne pouvant supporter plus longtemps tous ces regards interrogateurs posés sur lui, soupira.

— Je m'appelle Lucas, dit-il d'une voix douce et monocorde. J'ai une excellente raison d'être ici: une personne est morte par ma faute.

Tous se regardèrent, horrifiés par ce qu'ils venaient d'entendre. Il y avait un meurtrier parmi eux…

– Et je peux savoir pourquoi ? demanda Amy d'une petite voix étrangement aiguë.

– Non, la raison ne regarde que moi, répondit l'homme d'une voix dure avant de détourner la tête et de retourner à ses pensées.

Un grand malaise suivit les paroles de Lucas. Les prisonniers s'interrogèrent du regard, ne sachant trop que faire. Finalement, ils décidèrent de se tenir le plus loin possible de l'assassin.

Ian s'assit près d'Amy. Elle regardait vaguement le paysage qui défilait devant eux, les yeux dans le vide.

– Je me demande bien ce qui a pu pousser cet homme à commettre une telle abomination…, murmura-t-elle, plus pour elle-même que pour Ian.

– Quoi ? fit Ian. Comment peux-tu dire ça ? Il n'y a aucune excuse valable pour un tel crime !

– Je sais, mais tu ne trouves pas qu'il a l'air triste, tout de même ? On dirait qu'il culpabilise, ou je ne sais pas trop.

Ian ne prit pas la peine de répondre. Pour lui, il n'y avait rien de pire que de tuer quelqu'un. Tant mieux si ce Lucas culpabilisait. Que sa conscience le torture un peu, c'était tout ce qu'il méritait ! Il décida qu'il était préférable de ne rien ajouter.

La nuit ne tarda pas à arriver. Les prisonniers se couchèrent sur la paille, mais aucun n'arrivait à dormir. Leur estomac criait famine, ce qui produisait un grand concert de gargouillis. Le lendemain, ils atteindraient probablement le palais de l'empereur et leur vie changerait pour toujours…

Chapitre 3

Une funeste rencontre

Lorsqu'on appréhende un moment, on dirait que celui-ci prend un malin plaisir à arriver plus vite. C'est l'impression qu'avait Ian lorsqu'ils atteignirent le palais de l'empereur. À présent, la charrette se trouvait devant les portes de la cour du palais et des gardes s'affairaient à sortir les prisonniers et à les enchaîner les uns aux autres afin de les empêcher de s'enfuir. Ian s'arrangea pour se trouver tout près d'Amy, ne voulant pas la laisser seule, ce dont elle sembla lui être reconnaissante. Ils s'étaient vite liés, la peur qu'ils éprouvaient y étant probablement pour quelque chose. Lorsque les gardes furent sûrs qu'aucun des prisonniers ne pourrait s'échapper, ils les emmenèrent vers les portes de la cour.

Lorsque celles-ci s'ouvrirent, Ian ne put s'empêcher de laisser échapper un hoquet de surprise à la vue d'une si éblouissante architecture. Tout en hauteur, le palais était flanqué de nombreuses tourelles, toutes plus hautes les unes que les autres. Il était fait de pierre brute et plusieurs meurtrières s'ouvraient tout le long des remparts.

Puis, la dure réalité l'arracha à sa contemplation. Les gardes les traînaient à présent vers l'entrée du palais. Ils passèrent les gigantesques portes de la forteresse et furent alors contraints de s'engouffrer dans les abîmes noirs qui se trouvaient à l'intérieur. Tous frissonnèrent dès qu'ils y mirent les pieds.

Certes, l'extérieur donnait un air plutôt accueillant à ce gigantesque château, mais, à l'intérieur, toute sensation de chaleur et de sécurité s'envolait. Un froid pénétrant y régnait et l'éclairage était faible, ne provenant que des torches accrochées aux murs par des chaînes. Alors qu'ils avançaient dans le dédale de corridors, les prisonniers pouvaient constater la richesse du mobilier dans les pièces dont les portes étaient restées ouvertes. On ne pouvait pas dire que ce château brillait par son atmosphère chaleureuse, mais il était très somptueux.

Amy se rapprocha doucement d'Ian et lui murmura à l'oreille :

– Je n'aime vraiment pas l'ambiance qui règne ici…

– Ne t'en fais pas, tout ira bien, la rassura Ian.

Bien qu'il ne crût pas une seule seconde que tout irait bien, il aimait se l'entendre dire. Derrière lui, il pouvait entendre les murmures apeurés des autres.

Bientôt, les gardes s'arrêtèrent devant une grande porte sombre, derrière laquelle s'élevait un léger bourdonnement semblable à des chuchotements. Ils poussèrent la porte, dévoilant ainsi la seule pièce du château qui était vraiment bien éclairée.

La pièce, de forme circulaire, ressemblait à une arène. Une immense ouverture avait été pratiquée au plafond pour laisser pénétrer la lumière. De hautes estrades surplombaient le centre, d'où plusieurs portes donnaient accès à des souterrains et aux cachots. Les chuchotements qu'Ian avait entendus quelques instants plus tôt venaient des personnes déjà assises dans les estrades et qui murmuraient entre elles. Elles regardaient à présent les prisonniers d'un œil interrogateur. Ian remarqua que ces gens avaient eux aussi les chevilles enchaînées ; ils devaient être les prisonniers des autres villes du pays que son groupe n'avait pas traversées.

Ian et les autres furent alors amenés vers les estrades, où on les fit s'asseoir brutalement. Aussitôt, les gardes repartirent et refermèrent la porte derrière eux, sans un mot de plus. Tous les prisonniers se regardèrent, ne sachant que faire.

Soudain, les chaînes qui leur retenaient les chevilles s'évaporèrent comme par magie. Elles furent littéralement réduites en poussière. Une vague d'exclamation s'éleva parmi les prisonniers.

Plusieurs furent tentés de s'enfuir, mais un seul se leva et se dirigea vers la porte. Ian fit un mouvement pour le suivre, mais Amy lui retint le bras et lui souffla, terrifiée :

– Tu es fou ? Regarde un peu ce qui est en train de lui arriver !

Ian se retourna juste à temps pour voir les vêtements de l'homme se mettre à fumer lentement. Ce dernier poussa un cri de terreur, puis son cri se transforma en véritables hurlements d'effroi lorsqu'il sentit la chaleur des flammes invisibles lui lécher le corps. Il se mit à courir en hurlant comme un dément, puis se roula sur le sol et dévala les marches en pierre des estrades en produisant un choc sourd sur chacune d'elles.

Tous étaient figés, assistant au terrible spectacle, impuissants. Bientôt, la douleur de l'homme sembla se calmer, comme cela avait été le cas pour Ian lorsqu'il avait subi le même sort. L'homme resta sur le sol, tremblant de tous ses membres.

Lorsque les derniers échos de ses cris s'évaporèrent, un silence de mort s'abattit sur le groupe. Ian frissonna à l'idée que la même torture avait bien failli lui être infligée, à lui aussi.

Soudain, une des portes grillagées qui donnaient accès au cœur de l'arène s'ouvrit. L'atmosphère devint encore plus pesante lorsqu'un homme mince et élancé se glissa à l'intérieur, flanqué de plusieurs gardes et de l'homme que l'on appelait le collecteur, soit celui qui avait conduit Ian et ses compagnons jusque-là. Le mystérieux homme se plaça au centre de l'arène, puis, d'un geste de la main, ordonna aux gardes de partir. Ceux-ci s'inclinèrent et se dirigèrent vers la sortie. Toutefois, le collecteur resta avec lui, et Ian en déduisit qu'il devait être quelque chose comme le bras droit ou l'homme de main de celui qui se tenait en face d'eux.

Ian sentit ses entrailles se contracter, car cela voulait dire que l'homme au centre de l'arène était probablement l'empereur. Il déglutit avec difficulté et entendit Amy retenir sa respiration.

Le souverain les dévisagea, mais personne ne put dire s'il était satisfait ou non, son capuchon cachant son visage. Il ouvrit la bouche et se mit à parler d'une voix grinçante et gutturale :

– Bonjour, et bienvenue dans mon palais, dit-il. Vous vous demandez sûrement pourquoi je vous ai fait venir ici. Avant de vous en expliquer la raison, je dois vous parler un peu du contexte actuel. Comme vous le savez, les forces des ténèbres ont envahi le territoire derrière les montagnes. Ces forces sont maintenant attirées par notre vallée. Je fais tout mon possible pour les repousser, les tenir éloignées de nous…

À peine eut-il terminé cette phrase qu'il éclata d'un rire sournois, sans joie.

– Ça, continua-t-il, c'est ce que les villageois croient.

Il rabattit son capuchon, révélant ainsi son visage à l'assemblée. Dans l'ensemble, on pouvait dire que l'empereur était un homme séduisant – surtout lorsqu'on savait qu'il devait être très vieux. Ses cheveux noirs, brillants, encadraient un mince visage empreint d'autorité qui ne laissait rien deviner de lui-même et qui affichait une autosatisfaction déplaisante. Ian réprima un hoquet de dégoût en voyant ses yeux noirs comme du jais qui ressemblaient à deux orbites creuses.

Une vague d'exclamations affolées retentit à travers la foule. Amy laissa échapper un petit gémissement plaintif à la vue de ce visage spectral.

– Il n'a pas d'âme, souffla-t-elle.

– En réalité, reprit l'empereur, depuis le début, c'est *moi* qui commande ces forces. C'est *moi* qui les aide à s'infiltrer tranquillement dans le pays. Pourquoi, me demanderez-vous ? Eh bien, la raison est fort simple : le pouvoir. Je souhaite instaurer une nouvelle ère, une ère dont je serai le maître absolu. Il est fini le temps de l'empereur aux pouvoirs limités. Maintenant, tout le monde m'obéira au doigt et à l'œil, ou périra. Toutefois, avant que cela n'arrive, il reste encore un petit détail à régler. Envahir la grande vallée de Madenort est une tâche complexe, qui nécessite un nombre important de soldats, et c'est pourquoi je vous ai fait venir jusqu'ici. Voleurs, mendiants, assassins, depuis des années j'en recrute en secret, et cette fois-ci, c'est votre tour. Vous êtes les gens dont j'ai besoin.

Ian n'en croyait pas ses oreilles. Il finit par reprendre ses esprits et lança :

– Et que se passera-t-il si nous refusons de nous joindre à vous ?

L'empereur se tourna lentement vers lui et lui jeta un regard noir. Amy se fit toute petite à ses côtés. L'homme sourit.

– Je savais bien que certains d'entre vous refuseraient, il y en a toujours. Toutefois, si j'étais vous, je n'y songerais même pas, car j'ai ici un argument très convaincant qui devrait en dissuader plus d'un…

Sur ce, il pointa le point sur le pauvre homme qui avait tenté de s'enfuir quelques instants plus tôt et qui était toujours étendu par terre.

– Simplement pour vous aider à prendre la bonne décision, je vais vous faire une petite démonstration de ce qui vous arrivera dans le cas d'un mauvais choix. Derrière ces portes, continua-t-il en montrant les portes autour de l'arène, se trouvent des personnes qui ont fait le choix de ne pas collaborer, et qui subiront devant vos yeux leur châtiment…

Aussitôt, l'empereur claqua des doigts et, avec son fidèle collecteur, Wulfrid, se retrouva au-dessus des prisonniers, sur le trône surplombant les estrades et l'arène. Les portes par lesquelles Ian et ses camarades étaient entrés s'ouvrirent et des centaines de gardes affluèrent et s'assirent de part et d'autre des estrades, tout en prenant soin de ne pas se trouver trop près des prisonniers. Lorsqu'ils furent tous assis, l'empereur sourit un moment.

– Que le spectacle commence ! lança-t-il d'un ton joyeux…

Chapitre 4

Un choix… difficile

Lorsqu'il prononça ces mots, les portes grillagées de l'arène s'ouvrirent de nouveau pour laisser place à une vingtaine d'hommes et de femmes. La peur pouvait se lire sur leurs visages et ils avancèrent jusqu'au milieu de l'arène où ils se regroupèrent. Ian remarqua qu'ils étaient tous armés d'une épée qu'ils tenaient avec tant de force qu'ils en tremblaient. Le plus vieux d'entre eux, qui devait avoir une quarantaine d'années, paraissait avoir l'habitude de se trouver là. Il regardait autour de lui d'un air presque assuré et il semblait donné des conseils aux autres.

Tous les regards de l'assemblée étaient tournés vers les condamnés au centre de l'arène, lorsque soudain la voix de l'empereur s'éleva :

– Vous savez tous pourquoi vous êtes ici, dit-il en s'adressant au petit groupe de gens apeurés, qui levèrent tous la tête vers lui. Vous avez refusé de rejoindre les rangs de mon armée et vous périrez donc pour cet affront. Toutefois, je veux que vous sachiez que le dernier d'entre vous qui tiendra encore sur ses jambes lorsque tous les autres seront morts aura la chance d'avoir la vie sauve. Ne vous réjouissez pas trop vite, cependant. Il ne s'agira que d'un court répit, jusqu'à ce que cette personne meure dans le prochain combat qui l'attendra.

L'empereur se tut. Les condamnés se regardèrent avec une lueur démente dans le regard, puis ils commencèrent à se jeter les uns sur les autres, chacun espérant être celui qui aurait la vie sauve à la fin. Des hurlements de fureur et de douleur montaient de partout et résonnaient dans les murs de l'arène. La perspective de la mort change toujours les gens, et c'était exactement ce qui était en train de se passer sous les yeux ébahis d'Ian et de son groupe. Les combattants, qui avaient été effrayés et chancelants quelques minutes plus tôt, n'étaient plus les mêmes. Ils étaient devenus des bêtes sauvages qui défendaient rageusement leur vie.

Un grondement sourd parvint alors du côté de la plus grande porte de l'arène. Toutes les têtes se tournèrent brusquement dans cette direction. Une horrible créature se faufila par la porte. Elle ressemblait à un énorme serpent doté de six pattes agiles et puissantes. Son corps noir comme l'ébène était parsemé d'épaisses cornes de la même couleur. Ses écailles semblaient aussi dures que du roc et étaient probablement impossibles à transpercer d'une simple épée. Une énorme crête rouge couronnait sa tête.

Après avoir franchi la porte, la bête s'étira de toute sa hauteur afin de mieux voir les pauvres infortunés qui se trouvaient devant elle. Ses yeux jaunes et globuleux les fixaient d'un regard affamé et menaçant. Elle ouvrit la gueule et émit un hurlement strident à glacer le sang. Les combattants cessèrent aussitôt de se battre entre eux et reculèrent en tremblant de terreur à la vue de l'ignoble créature dressée devant eux.

Celle-ci darda la langue à la manière d'un serpent et s'élança sur eux dans un nouveau cri. Ils s'éparpillèrent en désordre, en hurlant. La suite ne fut que carnage et hurlements de douleur de la part des pauvres prisonniers. La créature abattait son énorme queue en pointes et les détenus mourraient les uns après les autres. Bientôt, il n'en resta plus que trois. Trois chanceux qui avaient réussi à échapper aux attaques du monstre. Parmi eux se trouvait celui qui semblait être un habitué de ces combats. Les deux autres, de jeunes hommes, étaient blancs comme un linge et tremblaient comme des feuilles. Une odeur de mort flottait dans l'air.

Les trois survivants s'étaient rassemblés en un petit groupe bien serré et faisaient face à la chose, épées levées bien haut.

La bête les regarda une dernière fois de son regard assassin avant de reprendre son attaque. Elle fouetta l'air de sa queue puissante et l'abattit sur le petit groupe. Cette fois, elle fit mouche sur deux des hommes qui, sous la force de l'impact, volèrent quelques mètres plus loin. Ils retombèrent tous les deux avec fracas sur le sol.

Les deux hommes moururent sur le coup.

Lorsque la queue du monstre s'abattit de nouveau, cette fois sur le dernier condamné, elle passa tout simplement à travers lui et la créature tout entière se volatilisa dans un tourbillon de poussière noire.

Le dernier à tenir debout avait été épargné… comme l'avait promis l'empereur. Le miraculé laissa tomber lourdement son épée sur le sol. Il s'effondra d'épuisement, alors que deux soldats pénétraient dans l'arène afin de le ramener à sa cellule, où il attendrait le prochain combat, qui signifierait probablement sa mort.

Ian se tourna vers Amy qui était livide et tremblante. L'empereur reprit alors la parole.

– J'espère que ce que vous avez vu vous dissuadera de refuser mon offre. Comme les meilleures décisions sont prises dans le calme et la détente, je vous donne vingt-quatre heures avant que vous n'ayez à me donner votre réponse. D'ici là, vous aurez chacun droit à une chambre. Je souhaite sincèrement que cela vous aidera à faire le bon choix.

Lorsqu'il eut terminé, les gardes se levèrent et accompagnèrent les prisonniers jusqu'à leurs chambres respectives. Ian se retrouva entre les chambres d'Amy et du prénommé Lucas, qui n'avait toujours pas ouvert la bouche depuis qu'il avait annoncé être un meurtrier.

Ian entra dans sa petite chambre et essaya de s'installer confortablement dans le lit. Il se coucha et se mit à fixer le plafond nu, les bras croisés derrière la tête. Il était maintenant pris au piège. Il ne pouvait plus s'échapper.

Il faisait face au choix qui allait déterminer comment il allait vivre, ou ne pas vivre, le reste de sa vie. Il devait choisir entre une mort certaine et douloureuse, ou la possibilité de rester en vie en s'engageant dans les armées de l'empereur. En d'autres mots, il devait choisir entre ce qu'il trouvait bien et la voie de la facilité qui lui laisserait la vie sauve. Il eut un petit rire sarcastique; vu ainsi, le choix était plus que simple, c'était l'évidence même. Il préférait bien sûr la vie à la mort, mais quel prix allait-il devoir payer pour continuer de vivre ? Qu'est-ce que l'empereur allait lui demander de faire ? L'assaut qu'il préparait ne se ferait certainement pas sans pertes de vie. Combien de gens faudrait-il tuer pour que son plan réussisse ?

Ian se retourna sur sa couchette et décida d'abandonner ses réflexions. La nuit lui porterait conseil. Il ramena ses jambes contre lui afin de se réchauffer un peu et il tendit l'oreille. Autour de lui, tout était silencieux. Quelques instants plus tard, il dormait.

Même si son sommeil avait été assez agité, à son réveil, le lendemain, sa décision était prise. Il n'y avait pas d'autres options, il devait faire ce qu'il avait à faire. Il ne lui restait plus qu'à attendre la fin de la journée, lorsque tous les prisonniers seraient convoqués auprès de l'empereur afin de faire connaître leur décision.

Après plusieurs heures de silence et d'attente, la porte de sa chambre s'ouvrit et une garde entra.

– Es-tu prêt ? lui demanda-t-elle d'un ton cassant.

Ian ne répondit pas et la regarda d'un air de défi. La femme lui fit signe de la suivre et Ian s'exécuta. Il la suivit à travers le château jusqu'à une salle qui devait être la salle du trône. La pièce était grande et rectangulaire. Là aussi, il régnait un froid pénétrant. Une immense carte en vieux parchemin racorni, représentant la vallée de Madenort, couvrait le mur derrière le majestueux trône au fond de la pièce.

L'empereur y était assis et regardait ses gardes d'un air satisfait. Bientôt, tous les prisonniers furent arrivés et placés en ligne devant le souverain. Celui-ci se leva et prit la parole.

– Le temps qui vous était imparti est écoulé. À présent, je veux entendre votre décision. Alors je demanderais à tous les idiots suicidaires qui ont décidé de ne pas rejoindre les rangs de mon armée de bien vouloir s'avancer d'un pas afin que les gardes les escortent jusqu'aux cachots où ils attendront leur combat avec la mort. Allez-y.

Un murmure s'éleva dans le groupe de prisonniers, qui se regardèrent les uns les autres. Puis, les yeux fixés avec mépris sur l'homme en face de lui, Ian s'avança d'un pas.

Chapitre 5

Une décision irrévocable

Ian garda la tête haute tout en soutenant le regard de l'empereur. Il était condamné à mort, il le savait bien, mais peu lui importait. Il préférait mourir en homme digne et fier plutôt que d'avoir à s'associer aux plans démoniaques de l'homme qui se tenait devant lui.

Un malaise palpable régnait dans la salle. Puis, d'autres imitèrent le geste téméraire d'Ian. D'abord Amy, qui s'avança elle aussi la tête haute. Ensuite plusieurs autres, dont Lucas, firent un pas maladroit en avant, les yeux fixés au sol. Puis, plus personne ne bougea.

L'empereur, jugeant que tous avaient fait connaître leur décision, prit alors la parole.

– Très bien. Je vois que vous avez tous pris votre décision. Certains d'entre vous ont fait un choix qu'ils regretteront sûrement, mais, à présent, il n'est plus possible de reculer. Vous devrez affronter les conséquences de vos actes.

Il se tut, une lueur malicieuse éclairant son visage.

– Quant à ceux qui ont fait le choix le plus judicieux, reprit-il, mes hommes vont vous conduire jusqu'à la salle de garde où vous pourrez vous restaurer. Dès demain, une sélection sera faite afin de déterminer à quel escadron vous serez affectés. Vous disposerez ensuite d'un mois pour vous entraîner afin d'être prêts à accomplir les différentes tâches et missions que l'on vous confiera.

Il fit un geste de la tête et ses gardes obéirent aussitôt aux instructions qu'il avait données. Le groupe de prisonniers était maintenant dissout, chacun avait choisi son camp. Ian se laissa mener par les soldats, les yeux dans le vague. Il n'aurait jamais imaginé finir sa vie ainsi. Découvrir que leur souverain s'apprêtait à trahir le pays tout entier l'avait furieusement secoué, et maintenant il se dirigeait droit vers la mort. Comme il aurait aimé pouvoir revenir en arrière et passer son chemin devant l'étalage du boulanger, le matin où il s'était fait prendre. Il savait que c'était impossible, mais il aimait se complaire dans cette illusion.

Alors qu'il était perdu dans ses pensées, ils arrivèrent aux cachots. Les soldats les répartirent dans les différentes cellules et Ian se retrouva avec Lucas et Amy.

Quelques jours plus tôt, il aurait protesté haut et fort pour ne pas être en présence de Lucas, le meurtrier, mais, dans son état d'esprit actuel, il arrivait à comprendre ce qui avait pu pousser cet homme à commettre un tel acte. Il éprouvait lui-même, en ce moment, une irrésistible envie d'aller se jeter sur leur souverain pour le battre à mort.

Il regarda autour de lui. Il se trouvait une fois de plus dans l'humidité désagréable d'une prison. Toutefois, celle-ci était de loin la pire qu'il ait connue. Incrustée dans les murs de pierre, de la moisissure dégageait une odeur nauséabonde. Une substance inconnue peu ragoûtante suintait du plafond et dégoulinait un peu partout. Des excréments de rats jonchaient le sol recouvert de paille crasseuse et il y avait même, dans un coin, ce qui semblait être des restes d'ossements humains. Des frissons lui parcoururent l'échine.

Ian se retourna et sursauta lorsqu'il aperçut, couché en boule sur le sol, le survivant de l'épreuve de la veille. Il fit signe aux deux autres et ils se penchèrent afin de l'examiner. Des mèches grises striaient ses cheveux bruns et sa barbe broussailleuse. De petites rides ornaient le coin de ses yeux et son visage blafard était marqué de profonds cernes noirs. Il avait d'innombrables cicatrices et portait de vieux vêtements encrassés et déchirés. Pendant un instant, Ian se demanda s'il n'était pas mort d'épuisement, mais fut rassuré lorsqu'il entendit sa respiration rauque et lente.

Amy lui tapota gentiment l'épaule afin de le réveiller. L'homme fit une moue dans son sommeil et se redressa vivement, frappant au passage le nez de Lucas avec sa tête. Celui-ci tomba à la renverse, les mains sur son nez blessé. Amy se précipita sur lui afin de l'aider et Ian ne put réprimer un fou rire. L'homme qui avait été tiré de son sommeil leva les poings, prêt à se défendre. Il baissa toutefois sa garde lorsqu'il aperçut la scène. Lucas et Ian se tordaient tous les deux sur le sol, l'un de douleur et l'autre de rire, tandis qu'Amy essayait d'examiner le nez de Lucas et jurait contre Ian d'une voix furieuse.

Lorsque la douleur de Lucas s'atténua, Amy l'aida à se relever tandis que Ian rigolait toujours. Le prisonnier les dévisageait d'un air amusé. Ian réussit enfin à retrouver son calme et il se releva doucement.

– Bonjour, dit l'inconnu d'une voix rauque en s'adressant à Ian, Amy et Lucas qui se tenaient tous trois devant lui. Je m'appelle Mathias, ajouta-t-il en leur tendant la main.

Amy fut la première à répondre.

– Bonjour, lui dit-elle d'une voix amicale. Je m'appelle Amy.

Il contempla un instant la jeune fille, puis son regard dévia sur Lucas, et ensuite sur Ian. Ce dernier vit l'homme le dévisager de ses petits yeux noirs et il lut une expression ahurie dans son regard. Ian s'examina lui-même afin de vérifier si quelque chose ne clochait pas dans son apparence, mais il constata que tout était normal. L'homme leva lentement une main vers le visage d'Ian, mais celui-ci recula, mal à l'aise.

– Enchanté… ? dit l'homme d'une voix chevrotante, la main toujours tendue vers Ian.

– Ian… Je m'appelle Ian. Et lui, c'est Lucas, ajouta-t-il en désignant le meurtrier.

La main de l'homme trembla légèrement. Il fit des efforts pour se ressaisir et continua d'une voix plus posée :

– Eh bien, je crois que nous allons passer le mois qui vient dans la même cellule, vous et moi. J'espère sincèrement que vous serez plus agréables que mes anciens colocataires…

Sur ces mots, il se recoucha en boule sur le plancher et se rendormit presque instantanément. Les trois jeunes gens se regardèrent d'un air perplexe.

Maintenant qu'il avait retrouvé son calme, Ian s'aperçut de la gravité de la situation. Ou il mourrait de faim et d'épuisement dans cette prison comme l'homme dont les restes reposaient tranquillement dans un coin, ou il allait périr écrasé par un gigantesque reptile. D'une manière ou d'une autre, il allait mourir.

Après un moment de silence qui sembla s'éterniser, Lucas alla s'asseoir dans un coin de la cellule. Ian et Amy le suivirent. Ils ne pouvaient prétendre qu'ils ignoraient ce qui les attendait dans quelques semaines, mais pour l'instant aucun d'entre eux ne voulait y penser. Tout ce qu'ils voulaient, c'était se reposer un peu.

Le lendemain, Ian fut réveillé par les échos des hurlements des autres prisonniers. Amy, Lucas, Mathias et lui sursautèrent et se précipitèrent vers les barreaux de leur geôle afin de déterminer la cause d'autant de bruit. Il semblait qu'un des condamnés, qui venait de se rendre compte de sa mort prochaine, était devenu fou et s'était mis à hurler tel un dément. Ils retournèrent s'asseoir. Les prochaines semaines s'annonçaient éprouvantes.

Le temps passa ainsi. Un matin, Ian se réveilla, fourbu et courbatu, pour découvrir qu'il était le seul à être encore couché. Les trois autres étaient assis tout près et bavardaient. Même Lucas participait à la conversation. Depuis qu'il l'avait vu la première fois, jamais Ian ne l'avait vu parler autant. On aurait dit que la perspective de mourir bientôt lui avait délié la langue. Ian bâilla, s'étira, puis alla les rejoindre.

– Vous êtes vraiment sûr de ce que vous dites ? demanda Amy à voix basse à Mathias.

– Mais bien sûr ! Je ne vous en aurais pas parlé si je n'en étais pas absolument certain. Je connais l'empereur : si nous survivons à son épreuve, il nous laissera la vie sauve jusqu'au prochain combat. Il prend énormément de plaisir à tous ces petits jeux auxquels il nous force à jouer. C'est un spectacle pour lui et nous ne sommes que de petites marionnettes dont il tire les ficelles. C'est pourquoi je crois que, si nous survivons tous, il sera ravi de nous laisser la vie sauve afin de nous faire combattre une créature encore plus ignoble la prochaine fois… Le seul moyen d'y parvenir est de tuer le monstre avant que celui-ci ne nous achève.

Ian, qui venait de s'asseoir près des autres, écoutait attentivement la conversation.

Tous les quatre avaient développé une certaine complicité depuis qu'ils partageaient la même cellule. Bien qu'il ne connût absolument rien de Mathias, Ian appréciait sa compagnie. Il semblait avoir vécu tant d'expériences qu'Ian ne pouvait s'empêcher de l'écouter parler.

– Comment pouvez-vous être aussi sûr de vous ? lui demanda-t-il. Comment pouvez-vous prétendre connaître l'empereur à ce point ?

Une ombre passa sur le visage de Mathias et il baissa les yeux, comme s'il avait honte de lui-même.

– Eh bien, en fait…, commença-t-il doucement, les yeux toujours rivés sur le sol. En fait, avant d'atterrir dans ce trou à rats, je… je travaillais pour lui, acheva-t-il en levant sur ses compagnons des yeux pleins de défi.

– QUOI ? s'exclamèrent Ian, Amy et Lucas à l'unisson.

– Je travaillais pour lui, répéta Mathias inutilement.

– Comment avez-vous pu ? Pourquoi… ? demanda Amy d'une petite voix.

Mais Mathias leva une main pour la faire taire.

– Avant de vous raconter tout cela, dit-il, j'aimerais bien que vous me racontiez vos histoires, répondit-il en les désignant tous les trois du doigt.

Aucun d'entre eux n'ouvrit la bouche.

– C'est bien ce que je pensais, ajouta-t-il en ricanant. Je ne vois pas pourquoi je vous confierais mes secrets si vous-mêmes n'êtes pas capables de me confier les vôtres…

– Bon, très bien, dit Amy. Je suis prête à répondre à vos questions si vous répondez ensuite aux miennes. Allez-y.

– Je veux tout simplement connaître vos histoires. Je veux dire, je veux savoir qui vous êtes, pourquoi vous êtes ici tous les trois. Je veux simplement savoir si vous êtes dignes de confiance avant de vous parler de moi.

– Très bien, reprit Amy d'une voix froide et distante. Ce n'est pas très compliqué. Je suis née dans un petit village situé près de la forêt d'El Arlendör. C'est un tout petit endroit, qui ne figure sur aucune carte de la vallée, je crois. Mon père était un homme très influent dans le village et ma mère était sorcière. C'est un don qui passe de génération en génération, de mère en fille, dans sa famille. J'en ai hérité moi aussi. Lorsqu'un homme possède ce don, il est bien vu, on dit de lui que c'est un érudit. Toutefois, pour une femme, c'est une tout autre chose, elle est perçue comme une pécheresse, une envoyée du diable en personne. Pour cette raison, les femmes de ma famille ont donc dû pratiquer leur art dans le plus grand secret.

Amy s'interrompit un moment, puis poursuivit.

– Ma mère m'a appris tout ce qu'elle savait. Elle m'a initiée à la concoction de potions, aux charmes, aux incantations, aux sortilèges en tous genres, bref, à tout. Elle m'a appris à lire et à écrire, ce que peu d'enfants de mon village sont capables de faire. J'ai ainsi pu étudier les innombrables livres de magie que contenait sa réserve secrète, les mêmes qu'elle-même, petite fille, avait étudiés, et que ma fille aurait étudiés si l'*incident* n'était pas arrivé.

Elle ferma les yeux et prit une profonde inspiration.

– Lorsque j'avais huit ans, mon père a tout découvert. Il avait toujours été gentil avec ma mère et moi, il était un bon mari et un bon père. Cependant, il avait toujours exprimé ouvertement son aversion pour la magie. Dès l'instant où il a découvert que ma mère et moi étions magiciennes, nous savions que c'était fini. Il a aussitôt ordonné notre exécution sur le bûcher. Alors que mon père mettait le feu à nos pieds, ma mère a lancé un charme très puissant aux villageois, le charme de l'Illusion qui fait voir ce que l'on veut aux gens. Ainsi, les personnes ensorcelées sont complètement abusées par une réalité inventée de toutes pièces. Le seul problème, avec ce charme, c'est que la personne qui l'accomplit tombe dans un sommeil profond. Ma mère a donc lancé cet enchantement sur la foule qui assistait à notre exécution, ce qui m'a permis de m'enfuir, alors que la majorité des villageois me voyaient me tordre de douleur sur le bûcher. Toutefois, le magicien le plus malin du village a réussi à échapper à l'envoûtement de ma mère et, pendant que je m'enfuyais, il m'a jeté un maléfice m'empêchant de pratiquer ma magie pendant un temps indéterminé. Ma pauvre mère a péri sur le bûcher en se sacrifiant pour me sauver et moi, j'ai perdu provisoirement mes dons de magicienne.

Les yeux d'Amy brillaient de larmes, qu'elle contenait du mieux qu'elle pouvait. Sa voix tremblait légèrement.

– Je me suis donc enfuie et j'ai erré pendant longtemps avant de me retrouver à Dantin. Je n'ai

jamais quitté cette ville jusqu'à tout dernièrement, quand on m'a emmenée ici. Cet homme
qui m'a jeté le sort me dépouillant de ma magie
savait bien ce qu'il faisait, je crois. J'ignore quand
je retrouverai mes pouvoirs, ni même si je les
retrouverai un jour.

Elle s'essuya les yeux d'un air rageur et les
planta dans ceux de Mathias.

– Alors ? dit-elle. Suis-je digne de votre
confiance, maintenant ?

Ian sursauta. Il avait presque oublié la raison
pour laquelle Amy avait fait ces aveux.

Mathias regarda Amy et hocha la tête. Ensuite,
il se tourna vers Ian.

– Quoi ? s'exclama celui-ci. Je n'ai rien à vous
dire à mon sujet ! À quoi ça peut bien vous servir
de savoir des détails sur nous ? Je ne me vois
vraiment pas en train de vous raconter ma vie,
cela ne vous regarde pas du tout.

– Oh oui, ça me regarde, Ian. Surtout dans
ton cas ! À vrai dire, dès que je t'ai vu la première
fois, j'ai tout de suite su qui tu étais. Mais avant
de te raconter mon histoire, je voudrais connaître
la tienne, afin de m'assurer que je ne me suis pas
trompé sur ton compte.

– Ah oui, vous savez qui je suis ? fit Ian d'un
ton ironique. Eh bien, dites-le-moi, parce que je
ne suis pas sûr de bien le savoir moi-même !

– Tu es mon fils.

– Quoi ? !

– Tu es mon fils, répéta-t-il calmement.

44

– J'avais très bien compris la première fois ! cracha Ian avec fureur.

Cet homme était-il fou ? Était-il vraiment son père ? Celui qui l'avait abandonné et qui avait incendié leur maison, causant la mort de sa mère ? L'homme qu'il détestait le plus sur terre ? Un grand frisson de rage lui secoua les épaules et il devint blanc comme un drap.

Tout à coup, Ian entendit des sifflements moqueurs provenant de l'extérieur des cachots. Puis des hurlements de terreur se firent entendre et un soldat apparut à la porte de leur cellule. Depuis qu'ils étaient enfermés, les gardes impériaux ne venaient que pour leur porter à manger. Autrement, les prisonniers ne les voyaient jamais. Cette fois-ci, le sourire sarcastique que leur adressa le garde était clair : il n'était pas là pour leur apporter de la nourriture. Le garde ouvrit le grillage.

– Alors, vous êtes prêts à mourir ? dit-il d'une voix pleine de moquerie.

Ian reconnut un des prisonniers avec qui il avait fait le voyage jusqu'ici, il y avait déjà un mois.

Devant leur absence totale de réaction – la surprise les avait tous rendus muets –, le garde les fit sortir de leur cellule pour les pousser dans la file de prisonniers.

Certains prisonniers semblaient apeurés ; d'autres, comme eux, semblaient ne pas croire ce qui leur arrivait. On leur remit à chacun une arme, une vulgaire épée de métal rouillé ; certaines épées étaient incroyablement longues et d'autres, désespérément courtes. Ian serra contre lui son seul moyen de défense et regarda d'un air affolé la porte donnant sur l'arène. Soudain, quelqu'un lui souffla à l'oreille :

– N'oublie pas ce que nous avons dit. Si nous nous en sortons tous, l'empereur nous laissera la vie sauve. La seule façon d'y parvenir, c'est de tuer la créature qu'on aura à affronter.

Ian se retourna et vit Mathias, de même qu'Amy et Lucas qui le regardaient en hochant la tête tout en tremblant comme des feuilles. Toutefois, son regard resta posé sur Mathias. Pouvait-il vraiment lui faire confiance ?

Il n'eut pas le loisir de réfléchir plus longtemps à la question. Dans un grincement sonore, la porte s'ouvrit et une lumière aveuglante illumina les dizaines de visages effrayés des prisonniers qui avaient tant redouté ce moment.

Chapitre 6

Une bataille pour la survie

Ça y était. Le moment fatidique était arrivé. C'était aujourd'hui, sous les yeux moqueurs de centaines de gardes, que le sort d'Ian allait être décidé. Un tremblement de peur secoua son corps tandis qu'il serrait son épée de plus en plus fort contre sa poitrine. Il réussit tant bien que mal à marcher d'un pas saccadé et se dirigea avec les autres vers le centre de l'arène. Au-dessus et tout autour d'eux s'élevaient les estrades dans lesquelles il était assis un mois plus tôt. Il songea pendant un instant qu'il avait fait le mauvais choix, mais se maudit aussitôt de penser une telle chose. Il avait fait le bon choix, et il allait survivre aujourd'hui. Il ne laisserait pas l'empereur avoir la satisfaction de le voir périr, jamais !

Il regarda alors dans la direction d'Amy qui le fixait d'un œil inquiet et il hocha la tête. Aussitôt, le visage de la jeune fille s'illumina. Ils combattraient ensemble et, en même temps, essaieraient de sauver le plus de leurs compagnons possible.

Les prisonniers se tenaient au milieu de l'arène, frissonnants et pâles comme la mort, sous les sifflements et les quolibets que leur lançaient les gardes.

Ceux-ci se turent lorsque l'empereur leva la main pour parler.

– Vous avez refusé de vous joindre à moi et cela, je ne peux vous le pardonner. Vous périrez donc ici, sous nos yeux, afin de dissuader ces nouveaux prisonniers (il pointa le doigt vers les personnes assises dans les estrades) de faire le même choix que vous. Les règles sont les mêmes que la dernière fois : le dernier d'entre vous qui sera toujours en vie sera épargné, jusqu'à la prochaine fois.

Sur ce, il se rassit. Plusieurs hommes se regardèrent d'un air assassin. Comme les autres avant eux, ils étaient prêts à s'entretuer pour survivre. Toutefois, ils n'eurent pas le loisir de laisser libre cours à leur fureur démente, car, dès que l'empereur eut terminé son discours, un grondement sourd se fit entendre. D'un même mouvement, les condamnés se tournèrent vers la source du bruit d'un air alarmé. Des raclements de griffes sur le sol retentirent. La *chose* qui apparut était gigantesque.

Elle avait une énorme tête de lion et elle observait les prisonniers d'un air menaçant. Son corps gris était celui d'une chèvre et sa queue recouverte des écailles vert-argenté du serpent brillait d'un éclat aveuglant.

Amy écarquilla les yeux, horrifiée.

– Une chimère ! Oh mon Dieu, c'est une chimère ! murmura-t-elle, apeurée.

48

La créature poussa un rugissement et Ian faillit en laisser tomber son épée. À présent qu'il la voyait devant lui, il n'était plus aussi sûr qu'il pourrait vaincre cette créature. Elle était tellement énorme ! Ses craintes furent confirmées lorsque la chimère ouvrit la gueule et cracha un long jet de flammes. Comment devait-il s'y prendre avec son arme, qui lui parut soudainement minuscule à côté du monstre ? Il sentit quelqu'un venir se placer à ses côtés.

– Tout ira bien, tu verras.

Mathias et Lucas se tenaient devant lui et Amy. Lucas semblait ne pas savoir ce qu'il devait faire, mais Mathias paraissait très déterminé. Il plongea son regard dans celui d'Ian, qui était complètement affolé.

La créature poussa un second rugissement et passa à l'action. Elle se jeta droit sur la foule amassée au fond de l'arène, où tous les prisonniers avaient reculé à sa vue.

Bien vite, Ian s'aperçut que la chimère était tout aussi dangereuse de dos que de face. Certes, son énorme tête de lion aux crocs acérés était terrifiante, mais il comprit rapidement que sa queue était tout aussi redoutable. En effet, cette queue qui ressemblait à un serpent fonctionnait indépendamment du reste du corps de la créature. Elle se jetait sur les prisonniers et mordait tout ce qui lui passait sous le nez avec ses crochets noirs et venimeux.

Ian n'arrivait plus très bien à suivre ce qui se passait. Il entendait faiblement les cris railleurs des gardes dans les estrades, couverts par les hurlements de douleur des prisonniers. Pris au piège, ceux-ci essayaient vainement de fuir les attaques du monstre, trébuchant sur les cadavres de leurs compagnons tombés au combat.

Ian et les autres tentaient en vain de faire face à la créature afin de la blesser avec leurs petites épées, mais dès qu'ils se trouvaient en position d'attaque, celle-ci se mettait à vomir du feu dans leur direction, ce qui les obligeait à battre en retraite.

– Ce n'est pas de cette façon que nous réussirons à l'abattre ! hurla Ian en direction de Mathias et des autres.

– Peut-être, mais que veux-tu que nous fassions de plus ? répliqua celui-ci, trempé de sueur et ses vêtements maculés de sang.

Il venait d'échapper de justesse à l'embrasement en se roulant par terre, mais des flammes crachées par le monstre l'avaient effleuré.

Amy, qui se trouvait du côté opposé de l'arène, était aux prises avec le serpent – ou plutôt la queue de la chimère –, qui ouvrait une gueule béante où se distinguaient de gigantesques crochets. Elle tentait de le garder à distance à l'aide de son épée qu'elle brandissait agilement. Ian maudit intérieurement l'homme qui avait enlevé tous ses pouvoirs à Amy. Tout aurait été tellement plus simple si elle avait lancé un sortilège à la chimère afin de les sortir de là ! Il tenta de se frayer un chemin vers la jeune fille pour l'aider. Lucas se jeta alors sur Ian pour empêcher qu'un jet de flammes s'abatte sur lui.

Ian se releva prestement et se tourna vers Amy, qui combattait toujours le serpent. Puis, tout se passa si vite qu'il n'eut pas le temps de lui crier de faire attention.

La jeune fille reçut en plein dans l'épaule le coup d'épée d'un des hommes toujours vivants. Au lieu de tenter d'échapper à la créature ou de la combattre avec les autres, cet imbécile avait décidé d'éliminer tous ceux qui se tenaient encore debout. Amy ne l'avait pas vu arriver derrière elle.

L'homme poussa un cri triomphant lorsque la jeune fille s'effondra sur le sol et il s'élança en direction des derniers survivants en hurlant et en gesticulant tel un dément. Il eut à peine le temps de faire quelques pas que la chimère le saisit entre ses crocs avec un rugissement.

Un horrible bruit de déglutition se fit entendre au moment où le monstre tournait sa tête hideuse du côté où se trouvaient Ian, Mathias et Lucas, à l'autre bout de l'arène. Les yeux jaunes de la créature lancèrent des éclairs et, dans un dernier cri, celle-ci bondit en direction des trois derniers hommes encore vivants. Mathias et Lucas n'eurent même pas le temps d'amorcer le moindre geste afin d'empêcher Ian de se précipiter à sa rencontre.

Le jeune homme ramassa au passage le plus d'armes qu'il put trouver sur le sol. Lorsqu'il fut assez près de la chimère, il les lui lança au visage.

Avant que les fers n'atteignent leur cible, le monstre cracha du feu sur Ian, qui sauta sur le côté afin d'éviter le jet. Les flammes firent littéralement fondre les armes en suspension dans l'air. Le liquide métallique brûlant ainsi produit se déversa dans la gueule ouverte du monstre. Celui-ci eut un hoquet et s'étrangla avec la substance bouillante pendant qu'elle s'écoulait lentement dans sa gorge. La chimère poussa un dernier hurlement étouffé et tomba sur le sol dans un grand fracas, agonisante, puis mourut.

De la vapeur noire s'élevait de sa gueule ouverte.

Mathias se précipita vers la queue du monstre et planta son arme dans le serpent toujours vivant qui se tordait désespérément sur le sol dans l'espoir de se détacher du reste de la créature. Il émit un petit cri strident et s'effondra à son tour, mort.

Pendant ce temps, Ian s'était précipité vers le corps inerte d'Amy. Il s'agenouilla à ses côtés et l'examina de plus près. Son cœur fit un saut périlleux dans sa poitrine lorsqu'il vit celle d'Amy se soulever avec peine.

Elle était vivante. Des larmes de joie se mirent à perler au coin des yeux du jeune homme.

Soudain, un faible bruit vint briser le silence pesant qui régnait sur l'arène. Ian et les autres levèrent la tête et aperçurent l'empereur qui s'était levé et qui applaudissait, un air ravi sur le visage.

– Oh ! bravo, magnifique ! s'exclama-t-il. Ainsi donc, vous avez survécu tous les trois. Félicitations, messieurs ! Vous êtes les premiers à avoir réussi à abattre une des mes créatures. Je vous laisserai donc la vie sauve à tous les trois. Qu'on les ramène à leur cellule, je vous prie, ajouta-t-il.

Plusieurs soldats vinrent à leur rencontre et les empoignèrent fermement afin de les reconduire aux cachots. Ian lutta contre les deux hommes qui le maintenaient et réussit à leur faire lâcher prise. Il se précipita sur Amy et cria à l'empereur :

– Elle n'est pas morte, elle non plus !

Le souverain baissa ses yeux noirs sur lui et sembla le considérer pendant un instant, puis lui répondit :

– Très bien. Si tu dis qu'elle est vivante, je ne vois pas pourquoi je ne la renverrais pas dans sa cellule. Toutefois, vu son état, elle ne vivra sûrement pas très longtemps. Maintenant, raccompagnez-les.

Sur ce, ils furent ramenés dans leur cellule miteuse. Un sourire illumina vaguement le visage d'Ian. Il s'en était finalement sorti, il était toujours en vie. Du moins, jusqu'à leur prochain combat avec la mort.

Dès que la porte de leur cellule eut été refermée dans un bruit métallique, les trois compagnons se tournèrent du côté de la jeune fille qui avait été déposée – sans grande délicatesse – au fond du cachot. Ils se précipitèrent vers elle et s'agenouillèrent à ses côtés. Nul n'osa parler tandis qu'Ian approchait une main tremblante de la blessure d'Amy, sous son épaule droite. Il effleura délicatement la plaie qui saignait abondamment.

Pendant quelques instants, il repensa à ce que lui avait dit Mathias avant la bataille. Cet homme qui avait courageusement combattu le monstre à ses côtés pouvait-il être son père ? Il repoussa cette pensée afin de se concentrer uniquement sur Amy. Il devait absolument l'aider, sinon elle allait mourir !

– Comment va-t-on pouvoir la soigner ? demanda-t-il aux deux autres.

– Je n'en ai pas la moindre idée, répondit Mathias. Nous n'avons rien de propre pour lui faire un bandage. Même si on lui bande l'épaule, il est certain que la blessure s'infectera et cela lui sera tout aussi fatal que si elle se vide de son sang. Je suis désolé, Ian, mais je crains que l'empereur n'ait raison : elle ne survivra pas très longtemps dans l'état où elle est. L'entaille dans son épaule est profonde et, bien que l'arme semble n'avoir touché aucun organe vital, elle lui sera probablement fatale. Je suis vraiment désolé.

– Mais on ne peut tout de même pas la laisser mourir comme ça ! s'emporta Ian.

Mathias baissa les yeux, résigné. Ian savait qu'il allait devoir se rendre à l'évidence, mais il préférait faire taire la petite voix de la raison qui lui soufflait doucement à l'oreille qu'ils ne pouvaient plus rien faire pour la jeune fille. Il déglutit avec difficulté et fixa son regard dans celui de Mathias. Il se mordit les lèvres afin de les empêcher de trembler et hocha le tête d'un air déconfit. L'homme en face de lui eut un sourire triste et se leva lentement, accompagné de Lucas. Ils s'installèrent alors tous les deux dans des coins opposés de la pièce, plongés dans le mutisme, et examinèrent leurs propres blessures, laissant Ian seul avec Amy. Ian songea de nouveau à ce que lui avait dit Mathias avant la bataille. Puis il reporta son attention sur Amy, qui fit entendre un gémissement de douleur.

Il dégagea délicatement une mèche de cheveux roux qui s'était collée à la sueur qui perlait sur son visage. Ian était inquiet des convulsions qui agitaient les moindres muscles de son visage et de ses yeux qui semblaient bouger dans tous les sens derrière ses paupières closes.

Il regarda une nouvelle fois sa blessure et constata avec frayeur que la tache rougeâtre ne faisait que s'agrandir autour de la plaie, imbibant le corsage en y formant une fleur écarlate. Ian ne parvint pas à retenir la larme qui roula sur sa joue et tomba sur la poitrine de la jeune fille, qui se soulevait à un rythme de moins en moins régulier.

Il déchira une des manches de sa propre chemise – qui avait autrefois été blanche, mais qui avait désormais une couleur brunâtre – et s'en servit pour bander l'épaule d'Amy. Il savait que cela ne changerait rien à l'état de la jeune fille, mais il préférait essayer quand même d'arrêter le saignement. Il s'allongea ensuite près d'elle et prit sa main dans la sienne.

– Je suis désolé, lui murmura-t-il doucement à l'oreille. Je ne peux rien faire pour toi, mais n'aie pas peur, je serai avec toi jusqu'au bout. Je ne sais pas si tu m'entends, mais je voulais simplement te dire que j'ai beaucoup apprécié le moment que nous avons passé ensemble, aussi court fut-il. J'ignore pourquoi, mais je sais que nos chemins ne se sont pas croisés par hasard. J'ai l'impression de te connaître depuis tellement longtemps, alors que nous sommes pratiquement des inconnus. Alors ne t'inquiète pas, je suis là et j'y resterai jusqu'à ce que ce soit terminé, je te le promets.

Il eut beaucoup de difficulté à prononcer les derniers mots, qui furent étouffés par les sanglots muets dont il était secoué. Il ferma les yeux et se blottit contre la jeune fille, l'enveloppant de ses bras afin de la réchauffer un peu.

Il ignorait combien de temps passa ainsi, mais, lorsqu'il se réveilla, il s'aperçut qu'il n'avait pas du tout bougé. L'espace d'un instant, il fut terrifié à l'idée que la jeune fille ait pu rendre son dernier souffle pendant qu'il s'était assoupi, mais il fut vite soulagé lorsqu'il entendit sa respiration sifflante. Il contempla les ténèbres qui les enveloppaient et remarqua que Mathias et Lucas étaient toujours au même endroit. Ils semblaient tous les deux endormis.

Soudain, un raclement rauque attira son attention vers la porte de la cellule. Il sursauta et poussa un cri de surprise lorsqu'il remarqua deux silhouettes qui se détachaient nettement derrière le grillage.

Son cri réveilla aussitôt Mathias et Lucas qui se levèrent d'un bond. Ils se précipitèrent auprès d'Ian et aperçurent alors les silhouettes silencieuses. Ils restèrent là pendant un moment, les contemplant, jusqu'à ce que leurs yeux se soient habitués à la noirceur et qu'ils se rendent compte qu'il s'agissait en fait de deux gardes de l'empereur. Ian se leva et s'approcha de la grille.

– Qu'est-ce que vous nous voulez ? lança-t-il d'un ton furieux.

Maintenant qu'il se trouvait près d'eux, Ian put distinguer nettement les deux individus. Il y avait un homme et une femme, tous deux revêtus de l'uniforme rouge sang des soldats de l'empereur. Ils étaient tous les deux blonds et se ressemblaient tellement qu'Ian sut immédiatement qu'ils étaient de la même famille. L'homme prit la parole :

– Euh… nous sommes désolés de vous avoir réveillé, mais ma sœur et moi n'avons pu nous empêcher de venir vous voir. Nous sommes vraiment peinés de ce qui est arrivé à votre jeune amie. Nous… nous vous avons apporté quelques petites choses qui pourraient bien vous être utiles…

Sur ce, il passa ses bras à travers le quadrillage de la porte et tendit à Ian une chemise propre, des bandages et un pot contenant une substance verdâtre peu ragoûtante.

– Voici aussi de l'eau chaude, ajouta la femme en déposant un bol fumant dans la trappe qui servait habituellement à donner de la nourriture aux prisonniers. Tout cela va sûrement aider votre amie à se rétablir. Le pot que vous a donné mon frère contient un onguent très efficace pour ce genre de blessure.

Ils durent remarquer l'air d'incompréhension totale des trois hommes qui se tenaient devant eux, car ils eurent un sourire timide et l'homme ajouta :

– Vous devez sûrement vous demander pourquoi nous faisons ça pour vous. *Nous*, des gardes impériaux. En fait, il n'y a pas très longtemps que nous sommes au service de l'empereur, et nous n'en sommes pas tellement fiers. Nous avons été trop lâches et effrayés pour refuser sa proposition. Nous avons échoué aux tests pour les brigades et nous avons été engagés dans l'escouade médicale. C'est pourquoi nous avons pu subtiliser ce que nous vous avons apporté. Assurez-vous de bien cacher tout cela dans un coin, car nous pourrions avoir des ennuis si cela se savait – vous également, d'ailleurs.

Un silence gêné suivit ces paroles, brisé uniquement par la respiration sifflante d'Amy.

– Bon, eh bien…, commença la jeune femme. Je crois que nous allons vous laisser, maintenant. Nous aurions bien aimé soigner votre amie pour vous, mais cela nous est impossible. Si nous ne retournons pas bientôt au quartier général des soigneurs, quelqu'un finira par remarquer notre absence. Oh oui, j'allais oublier ! Tenez, prenez nos gourdes d'eau. Prenez bien soin de la faire boire souvent. Appliquez aussi une bonne couche d'onguent sur sa blessure, aussi souvent que possible. Bon, nous allons y aller. Tu viens, Timothy ?

Ian retrouva enfin la parole.

– Je… je ne sais comment vous remercier, dit-il d'une voix tremblante.

– Ce n'est rien, dit Timothy en lui lançant un clin d'œil. Au fait, comment vous appelez-vous ?

Ian fit de brèves présentations, puis le garde reprit la parole.

– Eh bien, je suis ravi d'avoir fait votre connaissance à tous. Oui, j'arrive Delphine !

ajouta-t-il à l'adresse de sa sœur qui l'interpellait du fond du couloir.

Il se retourna vers Ian.

– Au revoir ! Si jamais vous avez besoin d'autre chose, nous sommes là. Nous essaierons de repasser discrètement bientôt pour voir si tout va bien, ajouta-t-il en s'éloignant.

Ian se précipita vers Amy. Lucas lui apporta le bol d'eau chaude et Mathias vint les rejoindre d'un pas précipité.

Ian retira le pansement qu'il avait fait un peu plus tôt et dénuda délicatement la partie de l'épaule où se trouvait la blessure. Il décolla les morceaux de tissu du corsage qui s'étaient collés au sang coagulé et il éponge a doucement la blessure avec un bout de bandage et l'eau chaude que lui tendait Lucas. Dès qu'il retrempa le tissu dans l'eau, celle-ci prit une couleur rouille.

L'opération lui prit quelques minutes – il voulait être sûr que la plaie était bien nettoyée. Il étala par la suite une généreuse couche de l'étrange mixture à l'odeur fort désagréable. Il banda à nouveau l'épaule d'Amy avec les bandelettes propres que lui avaient apportées Delphine et Timothy.

Il serra bien fort les nœuds, puis contempla la belle chemise propre qui se trouvait à côté de lui. Il ne put s'empêcher de sourire à la pensée de ce que dirait la jeune fille si elle savait ce qu'il était en train de faire.

Il défit doucement son vêtement et le lui enleva. Les deux autres hommes détournèrent les yeux et il s'empressa de lui passer la chemise en gardant ses yeux rivés sur ceux, toujours clos, de la jeune fille. Il attacha finalement la boucle du col de la chemise et soupira.

Lucas prit la gourde de Timothy et vint se placer tout près d'Amy. Il laissa couler quelques gouttes du liquide clair dans sa bouche entrouverte, jusqu'à ce que la jeune fille déglutisse inconsciemment. Il continua ainsi pendant quelques minutes, puis déposa le contenant à côté de lui.

– Et voilà, murmura-t-il. Maintenant nous avons fait tout ce que nous pouvions, ajouta-t-il avec un faible sourire. La seule chose qui nous reste à faire, c'est d'espérer et d'attendre.

Chapitre 7

Questions et révélations

Après deux jours de fièvre pendant lesquels la jeune fille resta inconsciente, la condition d'Amy sembla s'améliorer nettement. Sa respiration était beaucoup plus régulière lorsque Ian changea son pansement le troisième jour. De plus, celui-ci remarqua que sa blessure était déjà presque complètement refermée. Il se demanda ce qui pouvait bien y avoir dans l'onguent odorant, mais il ne s'attarda pas très longtemps sur la question et il en étendit une énième couche sur ce qui restait de la plaie. Alors qu'il rattachait encore une fois le col de la chemise de son amie, celle-ci ouvrit délicatement les yeux… et le gifla de toute la force que lui permettait son état. Elle s'étrangla aussitôt de douleur, une main crispée sur son épaule blessée.

– Mais qu'est-ce que tu fais, Ian ? cria-t-elle d'une voix éraillée.

Ian, sous le choc, se massait la joue d'un air surpris.

— Qu'est-ce que je faisais ? Je refaisais ton bandage. Tu devrais m'être reconnaissante de m'être occupé de toi et de t'avoir soignée !

— Je... tu... Quoi ? dit-elle, le regard perplexe.

Ian foudroya du regard Lucas et Mathias qui avaient tous les deux éclaté de rire à la vue de l'expression qui se lisait sur le visage du jeune homme.

— Ian, je veux des explications ! Pourquoi dis-tu que tu m'as soignée ? Et surtout, pourquoi ai-je une nouvelle chemise ? Qui me l'a mise ? ajouta-t-elle d'un air suspicieux.

Elle semblait plutôt en forme pour une personne qui avait été fiévreuse pendant deux jours.

Le jeune homme soupira.

— Tu te souviens bien que, l'autre jour, nous avons dû affronter un des monstres de l'empereur, non ? Tu sais, la gigantesque chimère que…

— Oui, je me rappelle la chimère, Ian, dit-elle impatiente. Viens-en aux faits…

— Eh bien, dans ce cas-là tu dois sûrement te souvenir qu'un cinglé t'a enfoncé son épée dans l'épaule et que tu es tombée inconsciente.

Amy ferma les yeux, comme si elle tentait de se rappeler quelque chose qu'elle avait oublié depuis longtemps.

— Oui, cela me dit vaguement quelque chose. Je me souviens de l'énorme serpent. Pour ce qui est de la suite, je me souviens simplement que j'ai ressenti une douleur atroce. Ensuite, tout est noir. Je me suis vraiment fait embrocher l'épaule ? demanda-t-elle.

– Oui, répondit Mathias pour Ian. Nous t'avons tous crue morte. Et puis, Ian a fait quelque chose de stupide, mais qui a tout de même eu l'effet escompté.

– Qu'est-ce que tu as fait ? l'interrogea faiblement Amy tandis qu'elle tentait de s'appuyer en position assise contre le mur.

L'énergie dont elle avait fait preuve depuis son réveil, et qui semblait être venue de nulle part, paraissait s'être soudainement évaporée. Ian lui prit le bras pour l'aider.

– Je ne savais plus très bien ce que je faisais, commença-t-il. Je me suis jeté sur la chimère. J'ai ramassé le plus d'armes que j'ai pu trouver sur le sol et je les lui ai balancées à la figure. Au même moment, elle a eu la brillante idée d'essayer de me transformer en torche vivante en me crachant un jet de flammes. Mais le feu a fait fondre les épées et, lorsque la créature a ouvert la gueule pour pousser un rugissement, le liquide bouillant lui est retombé au fond de la gorge et elle est morte.

La jeune fille poussa un sifflement admiratif et lui sourit. Ian se cala à son tour contre le mur à côté d'elle.

À présent que la vie d'Amy était hors de danger, Ian avait un compte à régler avec Mathias qui, quelques jours auparavant, avait prétendu être son père. Il le fixa, incrédule, et d'une voix forte lui lança :

– Alors, Mathias, tu dis être mon père. Alors, prouve-le-moi !

Tous se tournèrent vers Ian, surpris.

Ian poursuivit, en colère :

– Si tu es vraiment mon père, Mathias, tu devrais me dire pourquoi tu as mis le feu à notre maison. Pourquoi m'as-tu abandonné quand je n'étais qu'un enfant ? Je n'étais pas assez bien pour toi ? Si tu savais à quel point je déteste mon père…

Il s'était mis à hurler.

– Ian ! murmura Amy, indignée.

– Quoi ? Si c'est vraiment mon père, je ne vois pas pourquoi je parlerais calmement à l'homme qui m'a rejeté alors que je n'avais que quatre ans ! J'étais si jeune ! Je me souviens de tout, tu sais ? continua-t-il en fixant Mathias. Je suis arrivé à la maison, un jour, et la maison était en flammes. Les gardes de la ville qui étaient sur les lieux disaient que l'homme qui y habitait – toi, si tu dis vrai, dit-il en pointant le doigt sur Mathias – y avait mis le feu et qu'on l'avait vu s'enfuir. Ma mère est morte dans cet incendie ! On a conclu que moi aussi j'étais mort et je n'ai pas démenti cette affirmation ; j'avais trop peur.

Ian fit une courte pause, puis ajouta :

– À quatre ans, je me suis enfui de la ville dans laquelle nous vivions et je me suis retrouvé à errer dans les rues de Jadel, sans abri. Alors dis-moi, Amy, pourquoi aurais-je le moindre respect pour l'homme qui a fait de ma vie ce qu'elle est en ce moment, c'est-à-dire un véritable enfer ?

Si le regard d'Ian avait pu tuer, Mathias ne serait plus qu'un petit tas de chiffes molles sur le sol. L'homme soupira.

– Tu n'as absolument rien compris, tu sais, Ian. Tu es bien comme ta mère, aussi impulsif. Une femme adorable. Si tu savais comme elle me manque parfois.

– Ne me parle pas de ma mère ! hurla Ian de toute la force dont ses poumons étaient capables.

– Je suis désolé que tu aies cru ce tissu de mensonges pendant si longtemps, ce qui t'a amené à me détester autant. Je n'ai pas allumé cet incendie, Ian. Jamais je ne vous aurais fait de mal, à ta mère et à toi, vous étiez ma famille. Si tu me laissais tout t'expliquer, tu comprendrais comment nous avons tous les deux été utilisés…

– Et pourquoi est-ce que je t'écouterais ? demanda Ian d'un ton méprisant.

– Je t'en supplie, laisse-moi au moins te donner ma version des faits. Tu décideras ensuite si tu veux me croire ou si tu préfères t'en tenir à la version qui t'a été donnée par des gardes de l'empereur, il y a de cela douze ans.

Ian fit la moue et se croisa les bras. Il hocha alors la tête, prêt à écouter.

– Merci, lui souffla Mathias. Je te garantis que tu ne le regretteras pas.

Ian voyait une petite larme brillante perler au coin des yeux de son père.

– Tu ne dois sûrement pas t'en souvenir – tu étais beaucoup trop jeune –, mais en ce temps-là j'avais fondé une organisation clandestine qui se rebellait contre l'autorité de l'empereur. À l'époque, j'étais loin de me douter de ce qu'il manigançait, mais moi et d'autres hommes de la ville étions révoltés des nouveaux impôts qu'il exigeait de nous. Nous avons donc créé un petit groupe de rebelles, dont j'étais le chef. Nous croyions que l'empereur n'était pas l'homme qu'il nous fallait pour gouverner et nous voulions rallier le plus de gens possible à notre idée. Mais un jour l'empereur a été informé de notre rébellion et a aussitôt ordonné notre arrestation. Il me voulait absolument dans ses rangs et, pour cela, il a envoyé une de ses troupes mettre le feu à notre maison.

Il reprit un peu son souffle avant de continuer.

– Ils ont tout brûlé et ont fait en sorte que personne à l'intérieur, excepté moi, n'en ressorte vivant. Ils m'ont ensuite emmené au château de l'empereur où j'ai appris que ma femme et mon fils unique était mort dans l'incendie qui avait ravagé notre domicile. L'empereur m'a alors fait la proposition que vous avez également reçue, c'est-à-dire de me joindre à lui. Au début, j'ai refusé catégoriquement. Jamais je ne m'associerais à l'homme que je tentais d'évincer du trône ! Cependant, une idée a germé dans mon esprit. Si je me rangeais à ses côtés, cela me laisserait tout le loisir de l'espionner et ainsi de pouvoir préparer adéquatement ma vengeance. Car je n'allais tout de même pas laisser l'assassinat de ma famille passer sous silence ! J'ai donc accepté son offre et je suis entré à son service, un mois plus tard.

À présent, tous les yeux étaient rivés sur Mathias.

– J'ai été affecté à la patrouille chargée de la quête de l'Immaculé Manuscrit.

Devant l'air d'incompréhension d'Ian, il ajouta :

– L'Immaculé Manuscrit serait, selon la légende, un grimoire dans lequel serait décrite la seule et unique façon de détruire toutes forces maléfiques de la vallée de Madenort et de ses environs. Il aurait été écrit par un vieux moine sur son lit de mort. Le moine l'aurait fait cacher dans un endroit où seules des personnes dignes de sa confiance y auraient accès et pourraient, le moment venu, décider d'en faire usage. Ces gardiens veillent sur le grimoire depuis sa création, et nous tentions de découvrir l'endroit où ils l'avaient caché.

– Et l'empereur croit à cette légende ? demanda Ian.

– Il y croit dur comme fer. C'est d'ailleurs pour cette raison qu'il n'a toujours pas lancé d'assaut contre la vallée. Il veut tout d'abord détruire ce manuscrit et ainsi assurer son règne éternel. Il ne veut pas que quiconque possède le pouvoir de le détruire. Toutefois, comme j'approchais du but, l'empereur a eu vent de mes projets de vengeance et m'a fait prisonnier. Cela fait maintenant trois ans que je ne fais plus partie de ses troupes.

– Trois ans ? s'écria Ian qui avait enfin retrouvé la parole. Et vous avez survécu à tous les combats ?

– On dirait bien, puisque je suis là devant vous et que je vous raconte ma vie…

Le silence revint sur le petit groupe. Ian ferma les yeux, bien qu'il sentît nettement ceux de Mathias fixés sur lui. Toutes ces révélations – si elles étaient véridiques – détruisaient complètement l'image qu'il s'était forgée de son père. Il ne se rappelait pas du tout sa vie avec ses parents. Il se souvenait seulement du jour fatidique où il avait tout perdu. Par la suite, il avait toujours imaginé que son père était quelque part, en espérant que c'était six pieds sous terre. Toutefois, en ce moment, tout son passé s'effondrait ! Son père se trouvait là, en face de lui, et affirmait qu'il n'était pas la cause de tous ses malheurs.

Ian rouvrit les yeux et les fixa dans ceux de Mathias.

– Je n'aurais jamais osé vous faire de mal, je vous aimais beaucoup trop, ta mère et toi, lui dit Mathias d'une voix tremblante. J'ai été tellement heureux quand je t'ai revu… Je t'ai toujours cru mort et tu te tenais là, devant moi, en vie.

Ian se remémora alors l'expression de surprise qu'il avait lue dans le regard de Mathias la première fois qu'ils s'étaient rencontrés, et il décida de lui faire confiance.

– Comment avez-vous su que j'étais votre fils ? lui demanda-t-il en sentant ses entrailles se contracter sous l'effet de la joie qui l'envahissait.

L'esquisse d'un sourire se dessina sur le visage de Mathias.

– Dès que je t'ai vu, je l'ai su. La ressemblance entre toi et moi à ton âge est tellement frappante, c'est à s'y méprendre. La première fois que je t'ai vu, j'ai cru que je devenais fou. Je me tenais devant une réplique de moi-même plus jeune. Et puis, tu m'as dit ton nom et j'ai tout compris. Si tu savais comme j'étais heureux de te retrouver !

Ian regarda l'homme en face de lui, son *père* (cela lui faisait drôle d'avoir cette pensée), et il lui sourit. Mathias lui rendit son sourire et le serra dans ses bras avec une force telle qu'Ian en eut le souffle coupé.

Bientôt, les trois hommes jugèrent qu'il était temps pour Amy de se reposer. Sa blessure n'étant pas encore complètement guérie, elle avait besoin de repos. Les protestations de la jeune fille ne purent rien y changer. Lucas vérifia son pansement et Mathias veilla personnellement à ce qu'elle dorme. Il la surveilla jusqu'à ce que sa respiration se fasse lente et régulière.

Avant de sombrer lui-même dans le sommeil, Ian songea à tout ce qu'il avait appris en une journée. Non seulement son père était-il toujours en vie, mais il était l'opposé de ce qu'Ian avait toujours pu imaginer. Il n'était pas du tout l'homme qu'il croyait : il n'avait jamais détesté son fils et n'avait jamais tenté de les tuer, sa mère et lui. Il eut un faible sourire à cette pensée, heureux comme il ne l'avait pas souvent été dans sa vie.

Chapitre 8

De précieux alliés

Dans les jours qui suivirent, la panique ne tarda pas à s'installer dans l'esprit d'Ian. D'accord, ils avaient survécu à leur premier combat avec une créature de l'empereur, mais en seraient-ils encore capables la prochaine fois ? Rien n'était moins certain. Une chose était pourtant sûre : jamais ils ne pourraient passer le reste de leur vie à combattre des bêtes monstrueuses de la sorte.

Il fit donc part de ses états d'âme à ses amis. Ils étaient tous d'accord avec lui, mais que pouvaient-ils faire ?

– Crois-moi, Ian, il n'y a absolument aucun moyen de sortir d'ici, affirma Mathias. Je sais que par le passé plusieurs ont tenté l'expérience, mais aucun n'a réussi. Lorsqu'on est enfermé ici, c'est pour la vie. Il ne nous reste plus qu'à nous battre pour survivre, et c'est ce que nous faisons et continuerons de faire, tu m'entends ?

– À quoi cela sert-il de continuer à se battre quand on sait que, de toute façon, on va finir digéré par une énorme bestiole répugnante ?

demanda le jeune homme, furieux. Cela ne sert absolument à rien. Rien du tout !

– Je sais que cela peut être difficile à accepter, mais c'est tout de même ce que nous devons faire, reprit Mathias. Il faut attendre. Attendre le moment opportun pour renverser l'empereur. Nous ne serons peut-être pas de ceux qui auront la chance d'assister à la révolution ou d'en faire partie, mais je suis sûr qu'elle viendra. Et ce jour-là, que nous soyons là ou non, le peuple se souviendra de nous comme des gens d'honneur qui ont renoncé à leur liberté et qui ont suivi le droit chemin. Et puis, de toute façon, que pourrions-nous faire, une fois sortis d'ici ? L'empereur est immortel, Ian. Cela veut dire qu'il n'existe aucun moyen de le tuer !

– Il existe sûrement un moyen, c'est simplement que nous ne l'avons pas trouvé, répliqua Ian.

Les trois autres ne répondirent pas, visiblement mal à l'aise. Ils se contentèrent de fixer leurs pieds et Amy gratta d'un air absent la fine cicatrice qui ornait à présent son épaule.

Après leur avoir adressé un regard furieux, Ian se détourna et s'isola dans un coin de la cellule. Là, il se réfugia dans son for intérieur.

Ils allaient tous y passer, c'était sûr. Ce n'était maintenant plus qu'une question de temps et ils en étaient tous conscients. Alors pourquoi s'entêtaient-ils à faire comme si tout cela était normal, comme si rien ne les atteignait ?

Les bras enroulés autour de ses genoux repliés, Ian baissa la tête et ferma les yeux. Il tenta de ne pas entendre les murmures incessants de ses trois compagnons, tout en essayant de ne songer à rien. Résultat : il tomba endormi dans son coin, recroquevillé sur lui-même tel un enfant effrayé par un monstre imaginaire.

Quand il se réveilla, un peu plus tard, il constata que le sommeil qu'il aurait voulu réparateur n'avait eu pour effet que de le courbaturer encore plus qu'il ne l'était auparavant. Il se leva en grognant et remarqua que les autres dormaient. Il s'avança lentement sans faire de bruit afin de ne pas éveiller ses compagnons, mais il trébucha sur le corps étendu de Lucas. Il s'écrasa sur le sol de pierre, en plaçant ses bras devant lui afin d'amortir sa chute, et poussa un juron étouffé.

Lucas grommela et se réveilla en sursaut pour découvrir Ian couché en travers de lui et tentant de se dépêtrer de cette fâcheuse situation. Il s'appuya sur ses coudes et fixa sur Ian de grands yeux interrogateurs. Puis, lentement, un sourire se dessina sur son visage et il éclata d'un rire cristallin. Ian fronça les sourcils, de mauvaise humeur. Bien que ce fût la première fois qu'il voyait Lucas rire véritablement depuis qu'il le connaissait, il n'aimait pas l'idée qu'il soit la source de son hilarité.

– Bon, ça va, tu n'es pas obligé de te moquer de moi ! Tu pourrais au moins m'aider, il fait plutôt noir ici, je te signale, lui lança-t-il d'un ton irrité.

Lucas aida Ian à se relever, les épaules secouées par son fou rire. Il se racla la gorge, comme s'il s'apprêtait à dire quelque chose, puis se ravisa et se recoucha sans un mot de plus.

Ian haussa un sourcil interrogateur, puis se dirigea vers le grillage et s'assit près de la porte, y appuyant la tête. Il observa Lucas qui s'était déjà rendormi ; il avait fait ça en un temps record, songea Ian avec un petit sourire.

Il se surprit ensuite à se demander ce qui avait bien pu pousser Lucas à tuer un homme. Il n'avait pas vraiment le physique ni la personnalité d'un criminel. Puis Ian se renfrogna : la raison ne changerait rien à ce qu'il avait fait. Et pourtant, en le regardant dormir paisiblement roulé en petite boule, il se dit qu'il était presque impossible qu'il ait fait une chose pareille. Oh, et puis à quoi bon se torturer l'esprit sur la question ? D'accord, Lucas avait tué quelqu'un, mais Ian ne le considérait pas comme un homme dangereux. La meilleure chose à faire était probablement de ne plus y songer et d'essayer de se rendormir. Oui, dormir, voilà qui était une bonne idée.

Ian se réveilla très tôt le lendemain. Son sommeil avait été perturbé par l'étrange sensation d'être épié, une sensation très désagréable. Il fronça les sourcils, puis ouvrit grands les yeux et se plaqua la main devant la bouche afin de ne pas crier de surprise. Appuyés contre le grillage de la cellule, il voyait deux énormes visages qui le fixaient de leurs grands yeux bleus.

Ian se leva d'un bond, recula vivement et tomba à la renverse avant de s'apercevoir qu'il s'agissait en fait de Timothy et de Delphine qui étaient accroupis de l'autre côté de la porte, la tête légèrement penchée sur le côté.

En tombant par terre, Ian bascula – encore une fois – sur Lucas, qui se réveilla en sursaut. Celui-ci poussa un soupir et leva les yeux en l'air.

– C'est une habitude, chez toi, de réveiller les gens en leur fracassant les côtes ?

– Oh, tais-toi, répliqua Ian d'un air ronchonneur. Qu'est-ce que vous faites là, tous les deux ? ajouta-t-il à l'adresse des jumeaux qui se trouvaient toujours de l'autre côté de la grille.

Ian fixa Timothy et Delphine, puis il sentit Lucas bouger sous lui. Il essaya de se relever, mais Lucas fut plus rapide : il le dégagea sans beaucoup de délicatesse, l'envoyant balader vers l'avant, et Ian se retrouva beaucoup trop près à son goût du visage de Timothy. Il se plaça à une distance suffisante qui ne lui permettait pas de compter le nombre de ses taches de rousseur.

Le bruit provoqué par la chute d'Ian avait réveillé Amy et Mathias, qui observaient la scène avec un petit sourire amusé.

Les jumeaux se regardèrent pendant un moment, puis Timothy se redressa.

– Je suis désolé de t'avoir fait peur, Ian, dit-il, en souriant. Nous sommes venus tôt afin de pouvoir profiter de plus de temps avant qu'on ne remarque notre absence.

– Et que nous vaut votre ô combien importante visite ? cracha Ian.

Il détestait se faire réveiller brusquement.

Delphine fronça les sourcils.

– Nous sommes venus vous proposer notre aide, encore une fois. Mais si tu préfères, nous pouvons te laisser dormir, ça nous est bien égal. Ce n'est pas nous qui sommes dans votre situation. Nous pouvons très bien te laisser pourrir ici, lui lança-t-elle, visiblement mécontente.

– Bon, d'accord, excusez-moi, reprit Ian. Je voulais simplement savoir pour quelle raison vous nous aviez réveillés à une heure pareille, ajouta-t-il en se grattant l'arrière de la tête.

Delphine ouvrit la bouche pour répliquer, mais Timothy posa délicatement une main sur son épaule. Elle regarda son frère avec douceur et se calma. Se tournant ensuite vers Ian, elle lui marmonna un vague « Désolée ». Elle posa alors son regard sur Amy.

– Je vois que tu vas mieux ! lui dit-elle en souriant.

– Oui, répondit la jeune fille, et c'est grâce à vous deux. Mes amis m'ont raconté ce que vous avez fait pour moi. Merci beaucoup, je vous dois la vie.

– Ce n'est rien, répondit Timothy, rougissant. Pour tout vous dire, nous sommes ici, comme ma chère sœur vient de l'expliquer, pour vous proposer de nouveau notre aide. Nous avons longuement parlé tous les deux et avons décidé que nous allions vous aider à vous évader de ce trou à rats. En fait, nous allons tous nous évader, et nous avons un plan…

Chapitre 9

La fuite

Il fut décidé que le plan serait mis à exécution la journée même, au cours de la soirée. C'était le moment idéal pour s'éclipser en douce, avaient conclu les jumeaux. Ceux-ci passèrent la journée à s'occuper des préparatifs, tandis qu'Ian et les autres les attendaient impatiemment dans leur cellule.

– Vous croyez qu'ils vont venir ? demanda Amy d'une petite voix inquiète après plusieurs heures de silence tendu.

Les trois hommes se regardèrent, ne pouvant répondre à la question d'Amy. C'était exactement la même question qu'ils se posaient intérieurement.

Un bon moment passa avant que quelqu'un d'autre n'ouvre la bouche. Entre-temps, la lumière que diffusaient les torches sur le mur commença à faiblir. La nuit était tombée à l'extérieur.

Ian s'approcha du grillage de la cellule et se planta devant, bien décidé à attendre l'arrivée de Timothy et Delphine. Il s'agrippa aux barreaux et s'y appuya la tête. Ils allaient venir, il le savait. Il avait confiance en eux.

Cela ne prit pas beaucoup de temps avant que des pas furtifs se fassent entendre dans les escaliers qui menaient aux cachots.

– Je crois qu'ils arrivent ! murmura Ian avec enthousiasme à ses camarades.

Ceux-ci se levèrent d'un bond et se précipitèrent aux barreaux eux aussi pour voir arriver les jumeaux. Ils ne tardèrent pas à apercevoir le bout du nez parsemé de taches de rousseur de Delphine apparaître dans l'escalier. Juste derrière suivait Timothy, les bras chargés de vêtements rouges semblables à ceux qu'ils portaient. Ils eurent tôt fait d'arriver à la cellule et Delphine sortit aussitôt la clé.

– Comment as-tu fait pour obtenir cette clé ? voulu savoir Ian, étonné.

– On peut obtenir tout ce que l'on veut, lorsqu'on dispose des bons atouts, répondit Delphine en lui présentant un petit flacon rempli d'un liquide à la couleur suspecte. J'ai bien peur que le pauvre gardien ne dorme pendant un *long* moment. Nous avons la voie libre.

– Tu veux dire que tu as drogué le gardien ? demanda Ian.

Delphine lui adressa un clin d'œil complice comme elle ouvrait la porte.

– Vous devriez enfiler ça tout de suite, dit Timothy aux quatre prisonniers en leur tendant les livrées rouge sang. Vous n'avez qu'à les glisser par-dessus vos vêtements. Vous devriez également prendre ça, ajouta-t-il en leur donnant à chacun une épée de la taille de leur avant-bras, qu'ils glissèrent dans leur ceinture comme l'avaient fait les jumeaux. Ces armes nous serons très utiles, précisa-t-il, si nous rencontrons de la résistance, bien que j'espère ne pas en rencontrer.

Ses yeux se perdirent dans le vide pendant un instant.

– Bon sang, Delphine ! Tu te rends compte de ce qu'on est en train de faire ?

– Oui, répondit-elle en lui prenant la main et en le regardant dans les yeux. Je sais que c'est effrayant ; moi aussi, j'ai peur. Mais, tu sais, je suis contente de le faire. Ça me prouve que nous ne sommes pas aussi lâches que nous l'avons toujours cru. C'est la bonne chose à faire, Timothy. Pour une fois dans notre vie, nous faisons ce qui est le mieux pour nous.

Les autres les observèrent pendant un moment tout en enfilant leurs costumes de guérisseurs, puis Mathias haussa les épaules et prit la parole.

– C'est bien beau, tout ça, mais il faudrait peut-être qu'on y aille.

Delphine et Timothy sursautèrent d'un même mouvement et se tournèrent vers eux.

– Vous... vous avez raison, dit Timothy. Allons-y, c'est par ici.

Il les entraîna vers les escaliers tandis que Delphine refermait la porte de leur cellule à clé afin de donner l'illusion que rien ne s'était passé. Elle rejoignit le groupe en un rien de temps et prit les devants avec son frère.

Ils montèrent les marches deux par deux et émergèrent dans un sombre couloir. On pouvait entendre les bruits que faisaient les soldats qui n'étaient pas de garde pour la nuit et qui semblaient bien s'amuser. Les jumeaux expliquèrent que ceux qui n'étaient pas en faction en profitaient pour avoir un peu de plaisir, ce qui ne leur était pas souvent permis. Leurs rires tonitruants et leurs chansons d'ivrognes résonnaient dans les murs du château.

Les jumeaux regardèrent à droite et à gauche, vérifiant si la voie était libre, et s'élancèrent dans le couloir d'un pas discret mais rapide. Les autres les suivirent et ils s'engouffrèrent dans la première salle qui s'ouvrait devant eux. Là, ils reprirent leur souffle.

– Très bien, dit Delphine. Nous nous trouvons près de l'une des entrées du château. Comme celle-ci est toujours ouverte, il nous sera facile de passer. Toutefois, elle est toujours bien gardée ; c'est pourquoi nous vous avons apporté ces vêtements.

Elle exposa le plan établi avec son frère et les autres hochèrent la tête, tout en prenant conscience du danger qu'ils couraient si on ne les laissait pas passer. Timothy leur fit un petit signe pour les inciter à les suivre et ils lui emboîtèrent le pas. Ils étaient à présent à découvert dans les couloirs du château et ils passèrent devant une troupe de gardes ivres qui se soutenaient mutuellement afin de ne pas tomber. Les deux jumeaux leur adressèrent un bref salut de la tête auquel les gardes ne répondirent pas, trop préoccupés à ne pas perdre l'équilibre.

En constatant l'indifférence des gardes à leur égard, Ian sentit son courage remonter d'un cran. Il était possible que tout se déroule sans embûches, après tout.

Ils ne tardèrent pas à apercevoir la grande porte du palais. À sa vue, ils accélérèrent l'allure, mais se figèrent aussitôt en voyant les gardes qui étaient postés devant. Il devait bien y en avoir une quinzaine, en plus de ceux que l'on pouvait entrevoir au loin, aux portes de l'enceinte des murailles entourant le château.

– Il ne faut pas que nous ayons l'air louches, leur chuchota Delphine. Restez naturels et tout ira bien, vous verrez.

Sur ce, ils avancèrent comme si tout était normal et franchirent la porte. Ils se firent immédiatement aborder par les soldats, qui paraissaient vouloir leur interdire le passage.

– Halte ! Que faites-vous là, guérisseurs ?

Timothy se racla la gorge et prit la parole.

– Nous avons reçu un message urgent nous informant qu'il y avait des blessés, dehors. Des gardes sont revenus de leur mission et certains d'entre eux sont gravement blessés. Il vaut mieux ne pas les déplacer avant que des soins ne leur soient administrés. On nous a fait appeler afin de leur venir en aide. Nous devons nous dépêcher, alors si vous voulez bien nous laisser passer…

L'homme sembla réfléchir pendant un instant, puis, avec un grognement, fit signe à ses compagnons de les autoriser à passer. Ceux-ci s'écartèrent et Ian et les autres se hâtèrent d'avancer. Ils étaient près du but maintenant, ils pouvaient voir le portail de l'entrée de l'enceinte se rapprocher à chaque pas qu'ils faisaient.

Derrière eux, ils entendirent un garde parler à son supérieur :

– Vous saviez ça, capitaine, que des soldats sont revenus de leur mission ce soir ? J'ignorais qu'une patrouille était partie en mission, dernièrement…

Le capitaine en question, un homme avec de longs sourcils broussailleux qui lui retombaient presque devant les yeux, le regarda quelques secondes avant de lui répondre.

– Aucune escouade n'est sortie, imbécile ! Par conséquent, il n'y a aucune raison pour qu'il y en ait une qui revienne, et donc aucune raison pour ces gens (il désigna Ian et les autres d'un doigt noueux) de sortir. Arrêtez-les immédiatement !

– Oh ! oh ! murmura Amy.

– Courez ! hurla alors Timothy.

Ils ne se le firent pas dire deux fois. Ils prirent tous leurs jambes à leur cou et se mirent à détaler comme des lapins, les gardes derrière eux. L'un d'eux sonna du cor, donnant ainsi l'alerte pour avertir qui se trouvaient devant, près de la sortie de l'enceinte. Ian vit ces derniers se retourner et se mettre eux aussi à courir en venant à leur rencontre.

– Maintenant on est vraiment coincés, dit Ian.

Le bruit de nombreuses épées que l'on sort des fourreaux en même temps retentit dans la cour. Les fugitifs sortirent également leurs armes, prêts à se défendre contre les ennemis qui se trouvaient devant et derrière eux, en nombre bien supérieur au leur.

Seule Amy ne brandit pas son épée, qu'elle laissa suspendue à sa taille. Tout en continuant de courir, elle tendit plutôt les bras légèrement en avant et joignit ses mains de manière à former une sphère.

– Qu'est-ce que tu fais, Amy ? lui hurla Ian.

La jeune fille ne répondit pas. On vit alors apparaître, au centre de ses paumes, une toute petite lumière bleue, qui devint rapidement un énorme globe d'énergie. Amy modela la boule pendant quelques secondes, l'agrandissant toujours. Lorsqu'elle sembla juger que la boule avait atteint la bonne taille, elle la balança droit devant elle en direction des gardes, qui se trouvaient maintenant tout près des fugitifs.

Cela produisit un formidable coup de vent qui fit virevolter les cheveux de la jeune fille en tous sens. La sphère atteint immédiatement sa cible. Elle frappa les premiers soldats qui prirent instantanément feu et se mirent à hurler en courant partout, trébuchant sur leurs camarades, les renversant et les entraînant dans leur combustion.

En peu de temps, le chemin fut libéré de tout obstacle. La voie était libre. Ian se tourna vers la jeune fille.

– On dirait bien que tes pouvoirs sont revenus…, dit-il lentement sans s'arrêter de courir.

Amy ouvrit de grands yeux ronds, puis fixa ses mains.

– C'est vrai, chuchota-t-elle. Je m'en suis à peine aperçue ! Tout s'est passé si vite, j'ai fait un geste instinctif. Le sortilège du magicien de mon village a dû prendre fin… Je suis redevenue moi-même, j'ai retrouvé mes pouvoirs de magicienne, ajouta-t-elle avec un sourire vainqueur.

Soudain, on entendit un bourdonnement sourd provenant de l'arrière et un hurlement rauque suivit. Ian et les autres se retournèrent et virent le bras droit de l'empereur dressé dans l'encadrement de l'immense porte du château.

Redoublant d'énergie à la vue de cet horrible homme, Ian allait reprendre sa course lorsque, en baissant les yeux, il découvrit Mathias gisant par terre. Ses vêtements étaient fumants et il avait la tête ensanglantée à la suite du choc de sa chute. Il était inconscient. Ian amorça un mouvement pour lui venir en aide, mais Delphine le retint par le bras.

– Je suis désolée, Ian, mais tu ne peux plus reculer maintenant. Tu ne peux rien faire pour lui, il faut partir d'ici au plus vite.

– Mais… c'est mon père, murmura Ian dans un souffle.

– Dépêche-toi ! lui hurla-t-elle en le poussant vers l'avant et en se penchant sur Mathias afin de lui porter secours. Je m'occupe de lui. Et empêche mon frère de faire quelque chose de stupide, ajouta-t-elle.

Lorsqu'il entendit cela, Timothy, qui guidait les autres vers la sortie, se retourna brusquement. Il vit sa sœur essayer de soulever Mathias, mais, avant qu'elle y parvienne, un soldat posa son épée sur sa gorge. Ian cria à Timothy de faire vite. Il devait partir sans elle, insista-t-il. Mais il ne l'écouta pas. Repoussant brutalement Ian qui cherchait à l'entraîner de force avec lui, il se mit à courir comme un damné en direction de sa jumelle.

Plusieurs gardes vinrent à sa rencontre, mais ils reçurent en pleine figure les sphères d'énergie qu'Amy leur balança afin de laisser le champ libre à Timothy.

– Idiot ! Mais qu'est-ce que tu fais ? lui hurla Delphine avec toute la puissance que sa voix lui permettait. Retourne avec les autres !

– Je fais comme tu as dit, je fais ce qui est le mieux pour moi ! répondit-il avec rage.

L'énergie du désespoir semblait lui donner des ailes et il arriva bientôt à la hauteur de sa sœur et de l'homme qui pressait toujours son arme contre sa gorge. Comme il levait son arme, déterminé à exterminer celui qui retenait ainsi sa sœur prisonnière, il fut violemment projeté vers l'arrière. Il avait été atteint par un jet de lumière rouge envoyé par Wulfrid qui s'avançait vers eux d'un pas raide et décidé. Timothy tomba lourdement sur le sol et Delphine poussa un hurlement déchirant. Elle tenta d'échapper au garde afin d'aller porter secours à son frère, en vain.

Wulfrid eut un sourire mauvais et regarda Ian, Amy et Lucas qui se tenaient toujours à l'autre bout de la cour. Ils étaient trop pétrifiés par ce qui se passait devant eux pour esquisser le moindre geste. L'homme tendit les bras vers l'avant encore une fois et, pendant un bref instant, la lumière éclatante qui se tordait au creux de ses mains éclaira son visage sous sa capuche. Puis, en un éclair, la lumière s'étira et s'élança vers eux en un rai écarlate.

Amy joignit aussitôt les mains et les tendit à son tour vers l'avant, en prononçant d'inaudibles paroles à une vitesse effrayante, et un bouclier se déploya devant les fugitifs. Celui-ci absorba le sort lancé par Wulfrid en ondulant comme de l'eau. De l'autre côté de la protection magique, les trois compagnons aperçurent la silhouette de Delphine, déformée par les ondulations constantes du bouclier, qui leur criait de s'enfuir.

Ils hésitèrent, puis se retournèrent tous les trois d'un même mouvement et prirent la clé des champs dans la noirceur de la nuit, laissant les jumeaux et Mathias derrière eux.

Chapitre 10

Errance dans la vallée

Ian, Amy et Lucas ne se permirent de s'arrêter que lorsque les premiers rayons de soleil vinrent leur chatouiller le visage. Ils avaient voulu mettre le plus de distance possible entre eux et le palais de l'empereur. Ils firent donc halte aux premières lueurs du jour et se cachèrent dans une cavité assez grande pour les contenir tous les trois, sous un gigantesque amas de roches. Ils s'y glissèrent, se dérobant ainsi aux regards des voyageurs qui pourraient emprunter le petit sentier qu'eux-mêmes avaient suivi.

Ils s'accroupirent dans la petite grotte et se serrèrent les uns contre les autres. Ils voulaient s'assurer que personne ne les découvre.

C'est seulement à ce moment qu'ils se permirent de souffler un peu et qu'ils commencèrent réellement à assimiler ce qui s'était passé dans les dernières heures.

– Comment tout cela a-t-il pu tourner aussi mal ? demanda Amy d'une petite voix tremblante. Nous avons perdu Mathias, puis Timothy et Delphine. Qu'est-ce que nous allons faire maintenant ?

– Il nous faut terminer ce que Mathias a commencé, il y a plusieurs années. Nous devons trouver cet Immaculé Manuscrit et anéantir l'empereur, lui répondit Ian. Voilà ce que nous devons faire.

Les trois compagnons baissèrent les yeux, fixant le sol. Tout cela était beaucoup plus facile à dire qu'à faire. Ils étaient à présent des fugitifs, certainement recherchés par l'empereur. Ce ne serait pas aisé pour eux de se promener dans la vallée incognito. Toutefois, ils n'avaient pas d'autre choix.

Ian déglutit avec difficulté. Il était vrai que leur plan d'évasion avait mal tourné. Il avait maintenant perdu son père une nouvelle fois. Son cœur se serra à cette pensée. Pourquoi fallait-il que la vie soit si injuste ? Qu'avait-il fait de si mauvais pour que la fatalité s'acharne ainsi sur lui ? Le destin s'amusait-il à le faire souffrir ? À peine venait-il de retrouver son père qu'il lui était enlevé de nouveau. Était-il toujours en vie ou bien lui et les jumeaux avaient-ils été tués par l'empereur pour leur tentative de fuite ? Une boule de plomb lui tomba au creux de l'estomac. Tant qu'il n'aurait pas découvert l'Immaculé Manuscrit, il ne pouvait qu'espérer que son père et ses deux amis étaient toujours vivants.

Ian, Amy et Lucas attendirent la noirceur avant de sortir de leur cachette. L'air frisquet de la nuit vint leur lécher le visage et ils se dirigèrent vers le petit sous-bois qui bordait le sentier de terre battue. Toute la nuit, ils continuèrent leur progression vers nulle part, pourvu que ce soit loin du château de l'empereur. Pour le moment, ils n'avaient absolument aucune idée de l'endroit où ils devaient se rendre. Ils savaient que les recherches pour trouver le manuscrit seraient difficiles, mais cela leur importait peu. Pour eux, le plus important était d'empêcher l'empereur de régner à tout jamais sur la vallée.

Quelques nuits d'errance passèrent ainsi, au cours desquelles la distance qui les séparait du palais se faisait toujours plus grande. Une nuit, ils durent traverser un cours d'eau, mais cela ne les arrêta pas. Ils se fabriquèrent un petit radeau de fortune et réussirent, à grand-peine, à franchir le fleuve qui coupait la vallée de Madenort en deux.

Puis, un matin, ils aperçurent au loin de minces volutes de fumée s'élever dans les airs. Ils étaient aux abords d'une ville, et qui disait ville disait également nourriture. Les trois compagnons, qui, depuis plusieurs jours, n'avaient avalé que des petits fruits découverts çà et là sur leur chemin, furent tentés de s'élancer en direction du bourg, mais ils se ravisèrent. Il avait été décidé qu'ils ne voyageraient que de nuit afin d'éviter d'être aperçus par quiconque pouvant les dénoncer à des gardes impériaux. Ils décidèrent donc de s'improviser un petit campement où ils pourraient se reposer durant la journée. Ils allaient attendre la nuit prochaine pour tenter de pénétrer discrètement dans la ville.

Ils s'enfoncèrent dans le petit bois pour se cacher et s'allongèrent sur le sol recouvert de feuilles. Lucas se releva presque aussitôt et se proposa pour le premier tour de garde de la journée. Ian prendrait par la suite le relais, puis Amy assurerait le guet dans les dernières heures précédant le coucher du soleil. Lucas se posta près de ses deux jeunes compagnons, tout en surveillant le sentier qui menait à la ville et qu'il pouvait apercevoir entre les branchages. Amy et Ian ne tardèrent pas à sombrer dans le sommeil.

Après son propre tour de garde, Ian se rendormit. Il eut cependant l'impression de n'avoir dormi que quelques instants lorsque Amy le secoua énergiquement. Se redressant d'un bond, il vit Lucas lever les yeux au ciel.

– On peut dire que tu n'es pas facile à réveiller, lui dit-il, un sourire s'esquissant au coin de ses lèvres.

Ian réprima un grognement. Aussitôt, son ventre se mit à gargouiller et il se rappela le repas qui les attendait au bout du sentier. Il sourit malicieusement à ses compagnons et, sans plus attendre, se mit à courir en direction de la ville qui se dressait devant eux. Pour guider ses pas, il comptait sur les rayons de la pleine lune qui semblait jouer à la cachette avec les nuages.

* * *

Il y avait plusieurs jours qu'Ian et les deux autres avaient réussi à fuir le palais. Mathias s'était réveillé le matin suivant dans la même cellule qu'il habitait depuis trois ans, fourbu et avec un mal de crâne intense lui donnant l'impression que celui-ci allait exploser. Timothy et Delphine avaient été jetés dans le même cachot. La plupart du temps, ils restaient assis l'un près de l'autre dans leur coin, chuchotant à voix basse.

À présent, Mathias se trouvait pour une énième fois en plein centre de l'arène et allait devoir encore une fois affronter une des créatures de l'empereur. Pendant le discours de ce dernier – qu'il connaissait désormais par cœur –, Mathias leva la tête vers le plafond et contempla le ciel que l'on apercevait par le trou qui y avait été pratiqué afin de laisser pénétrer la lumière extérieure.

La pleine lune était cachée derrière les nuages et renvoyait une faible lueur vacillante. Mathias se tourna vers les deux jumeaux qui regardaient autour d'eux d'un air effrayé, leurs mains si étroitement liées qu'elles en tremblaient. Il tenta de croiser leurs regards afin de les rassurer, mais ils ne posèrent même pas les yeux sur lui.

La peur se lisait sur leur visage aussi clairement que celle des autres prisonniers. Timothy chuchota doucement à l'oreille de sa sœur, et les yeux de celle-ci se remplirent de larmes. Elle lui adressa un triste sourire, qu'il lui rendit.

Mathias s'interrogea soudainement : quelle raison avait amené les jumeaux à l'empereur ? En y pensant bien, il ne voyait pas ce qu'ils avaient pu faire pour se retrouver ici. À la vue de ces deux jeunes gens fragiles, terrifiés et tremblants de tous leurs membres, il sentit une vague de fureur l'envahir. Pas seulement contre l'empereur, qui était la cause de leur présence dans l'arène, mais également contre les gens qui les avaient condamnés. Qui étaient-ils, ceux qui les avaient envoyés ici, pour avoir le pouvoir de décision sur leurs vies ? Les pauvres jumeaux n'avaient certainement rien fait qui justifierait qu'ils périssent comme ils s'apprêtaient à le faire. Cette pensée ne fit que renforcer le désir de Mathias de vaincre une fois de plus la créature qui allait se présenter d'une minute à l'autre. Non seulement il survivrait, mais les jumeaux également, il les protégerait. Il allait leur montrer, à tous ces imbéciles qui les avaient fait enfermés, qu'ils ne se débarrasseraient pas d'eux si facilement.

Il sourit avec conviction au moment même où l'empereur terminait son monologue – auquel Mathias n'avait pas prêté la moindre attention. La grille par laquelle les condamnés étaient tous entrés fut ouverte de nouveau pour laisser passer cette fois un jeune homme blond aux vêtements sales et dépenaillés. D'énormes cernes noirs soulignaient ses yeux bleus et fatigués.

Le nouveau venu regarda les hommes et les femmes devant lui d'un air empli d'une étrange tristesse. Son visage était agité de tics nerveux. Il découvrait les dents, grognait, puis semblait combattre un quelconque monstre intérieur. Il se ressaisissait ensuite, son visage toujours baigné de son air mélancolique.

Lorsque la lune se dégagea de l'étreinte des nuages, le jeune homme releva la tête d'un coup et écarquilla les yeux, apeuré. Il fixa les prisonniers dans l'arène, pencha légèrement la tête et leur murmura un faible « Désolé ».

On entendit ensuite ses vêtements et ses os craquer tandis que son corps se métamorphosait devant les prisonniers stupéfaits. Ses épaules se voûtèrent, ses jambes s'arquèrent, de longues griffes poussèrent au bout de ses mains et de ses pieds, et son corps tout entier se recouvrit d'une fourrure gris clair.

Sa mutation terminée, il hurla à la lune et, l'écume à la bouche, le loup-garou qu'il était devenu braqua alors un regard assassin sur les hommes et les femmes qui lui faisaient face.

– Oh bon sang…, murmura Timothy, tout près de Mathias.

* * *

Ian et ses compagnons avaient maintenant le ventre et les poches bien remplis. Il était beaucoup plus facile d'*emprunter* quelque chose à une personne endormie et Ian ne s'était pas gêné une seconde pour en profiter. Ils avaient préféré être prévoyants et avaient fait des provisions de nourriture pour plus tard. Ils étaient maintenant fin prêts à poursuivre leur voyage vers leur destination finale – qui, malheureusement pour eux, leur était encore inconnue. Leur discrète intrusion dans le monastère du village leur avait permis d'établir que le but de leur quête ne se trouvait pas dans cette abbaye. Amy était pourtant convaincue que l'Immaculé Manuscrit était dissimulé dans une abbaye. Après tout, pour surveiller ce précieux manuscrit, qui était mieux placé qu'un moine de la même communauté que celui qui l'avait rédigé ? C'était, en tout cas, l'avis de la jeune fille. Lucas ne semblait toutefois pas partager son opinion.

Il affirmait que l'ouvrage pouvait se trouver n'importe où, mais il ne s'opposa pas au projet de la jeune fille de fouiller tous les couvents et les monastères qu'ils trouveraient sur leur chemin. Ils décidèrent donc de poursuivre leur route vers le nord du pays, en se tenant le plus éloigné possible du château de l'empereur. Peut-être auraient-ils plus de chance dans les prochaines villes qu'ils visiteraient. Ils devaient bien y avoir quelque part des indices concernant ce manuscrit.

Plusieurs nuits passèrent encore, au cours desquelles ils s'enfoncèrent encore plus profondément dans le nord de la vallée. Ils ne rencontrèrent pas de nouvelles villes sur leur chemin et se contentèrent de marcher, en souhaitant chaque nuit que serait celle où ils découvriraient l'Immaculé Manuscrit.

Un soir, la lune décroissante était haute dans le ciel lorsque Lucas, qui fermait la marche, s'arrêta net et murmura prestement aux deux autres de s'arrêter. Ian ouvrit la bouche pour lui lancer de continuer, mais Lucas leva une main, lui indiquant de se taire et d'écouter. Ian tendit donc l'oreille et son cœur fit un bond périlleux dans sa poitrine pour retomber dans son estomac.

Derrière eux, des bruits de sabots se faisaient entendre au loin, de plus en plus fort, signifiant l'approche d'un groupe de personnes. Des gens parlaient entre eux en murmurant. De plus, on entendait distinctement le cliquetis désagréable d'armes en métal qui s'entrechoquaient.

Ces bruits, Ian et les autres ne savaient que trop bien ce qu'ils signifiaient, soit la présence d'un escadron de soldats de l'empereur, qui était probablement là pour eux. Toutefois, ces soldats ne savaient sûrement pas que les proies qu'ils chassaient se trouvaient tout près et qu'elles les avaient repérés.

Les trois fugitifs se figèrent sur place, puis, sans un bruit, se déplacèrent lentement vers le bord du sentier afin d'observer furtivement leurs chasseurs.

Amy murmura quelque chose et mit une main sur une épaule de chacun des deux hommes. Un petit soufflement se fit entendre, semblable au bruit du vent, et l'air sembla se mettre à miroiter autour d'eux, comme s'il avait la consistance de l'eau.

– Ils ne pourront pas nous voir, ainsi, chuchota Amy, sa voix presque inaudible, même pour Ian qui était tout juste à côté d'elle. Mais ils peuvent toujours nous entendre, donc…

Sur ce, elle plaça un doigt sur ses lèvres pour signifier à ses compagnons de ne pas faire de bruit.

Ils regardèrent donc passer les soldats devant eux, en file indienne. Celui qui jouait le rôle d'éclaireur tenait un grand bâton au bout duquel scintillait une énorme boule de lumière. Celle-ci procurait éclairage et chaleur aux soldats en cette nuit sombre et froide. Malgré cela, un nuage de vapeur se formait dans l'air à chacune des expirations de l'éclaireur. La procession s'éloigna lentement et, mis à part les chuchotements entre les soldats et le bruit de leur matériel, on eut presque dit qu'il s'agissait d'une troupe fantôme arpentant les sentiers de la vallée, comme le décrivaient de nombreuses légendes.

Les trois compagnons ne furent pas découverts. Bientôt, l'obscurité revint aussi soudainement qu'elle s'était envolée avec l'arrivée des gardes. Amy attendit cependant de ne plus entendre le moindre bruit, pour s'assurer que l'escadron était assez loin, avant de lever le charme qui les enveloppait.

Ils traversèrent ensuite le chemin en toute hâte et se réfugièrent d'un bond derrière les buissons qui bordaient l'autre côté, le temps de reprendre leurs esprits. Quand ils se remirent en marche, ils prirent bien soin de ne pas prendre la même direction que celle de leurs traqueurs, s'enfonçant toujours plus profondément dans la petite forêt.

* * *

– Vous croyez qu'ils sont toujours vivants ? demanda doucement Timothy à Mathias et à Delphine. Vous croyez qu'ils vont bien ?

– Rien n'est moins sûr. Il y a bientôt presque un mois qu'ils sont partis, lui répondit sa sœur jumelle, tout en examinant pour une énième fois la blessure de son frère.

Les profondes entailles causées par les griffes du loup-garou sur le torse de Timothy étaient toujours aussi visibles que lorsqu'elles avaient été faites. Elles semblaient prendre tout leur temps pour guérir.

La bataille avait été des plus éprouvantes. Elle avait duré la nuit entière, ne se terminant qu'au petit matin quand la lune avait disparu à l'horizon pour laisser la place aux premiers rayons du soleil. Le loup-garou avait alors subi la transformation inverse, retrouvant ainsi son corps humain. Le jeune homme s'était effondré sur le sol, inconscient. Mathias et les jumeaux avaient survécu, ainsi que deux hommes qui s'étaient alliés à eux pendant l'épreuve.

– Je suis sûr qu'ils vont tous les trois très bien, affirma Mathias. Et je suis également sûr qu'ils réussiront à découvrir le secret de l'Immaculé Manuscrit et qu'ils reviendront nous sortir d'ici. Nous devons simplement leur laisser le temps. Vous verrez, ils reviendront.

Les jumeaux se regardèrent un instant, puis se tournèrent vers Mathias et lui sourirent, mais sans pouvoir cacher leur air inquiet.

* * *

– On est complètement perdus, vous le savez, je présume ? demanda Amy aux deux autres. Nous n'avons absolument aucune idée où il faut aller pour découvrir ce fichu manuscrit et j'ai l'impression que nous tournons en rond depuis quelque temps.

– Je croyais que j'étais le seul à avoir cette impression, dit Lucas en se grattant le menton d'un air pensif.

– Eh bien non, tu n'es pas le seul ! lui répondit Amy. Le temps nous presse. Il faut absolument trouver l'Immaculé Manuscrit, mais nous ignorons complètement où le chercher.

– Crois-tu que je l'ignore ? cracha Ian. Bien sûr que je sais que nous sommes perdus, que nous ne disposons pas de beaucoup de temps et que nous avons presque autant de chance de trouver l'Immaculé Manuscrit que de voir l'empereur nous conter fleurette. Toutefois, si tu as une bonne idée, je te prierais de nous en faire part. Je te signale que nous sommes toujours recherchés par les soldats de l'empereur et que nous n'avons pas beaucoup de liberté de mouvement, pour le moment.

Amy lança un regard furieux à Ian, puis se retourna d'un geste brusque, ses longs cheveux roux ébouriffés virevoltant derrière elle. Elle se remit à marcher d'un pas rageur, Ian et Lucas sur ses talons. Les deux hommes se regardèrent un court instant. Lucas adressa un bref signe de tête à Ian afin de lui démontrer son appui. Ian avait raison, il le savait bien. Ils ne pouvaient pas se permettre de se promener en plein jour ou d'interroger des gens sur l'Immaculé Manuscrit. Les soldats impériaux auraient ainsi bien plus de facilité à remonter jusqu'à eux, ce qui rendrait vain tout ce qu'ils avaient accompli jusqu'à présent.

Devant eux, Amy semblait se calmer. Elle ralentit le pas, absorbée dans ses pensées. Puis elle s'arrêta net et Ian la percuta de plein fouet comme elle se retournait vers eux. Toutefois, elle ne parut même pas s'apercevoir de l'impact et les deux hommes constatèrent une étrange expression sur son visage. Son regard était voilé par un curieux mélange de peur et de triomphe tandis qu'elle murmurait inlassablement « *Shidaeh Mortaïs* ». Ses yeux s'agrandirent alors d'un coup, puis elle leva lentement la tête vers ses deux amis et dit d'une voix tremblante :

— J'ai déjà lu l'Immaculé Manuscrit.

Chapitre 11

Shidaeh Mortaïs

Il y avait longtemps que la petite Amy attendait ce moment. Le moment où, enfin, sa mère ne l'accompagnerait plus dans ses études des nombreux livres que contenait la réserve secrète. Sa mère avait déclaré que, à sept ans, Amy était assez grande pour étudier seule. La petite fille se trouvait donc dans l'obscur caveau où étaient rangés les livres de sorcellerie de sa mère, une chandelle à la main.

Dès qu'elle entra dans la bibliothèque, elle se précipita vers l'immense étagère du fond et sa main tremblante se tendit vers le volume qui hantait ses pensées depuis qu'elle l'avait aperçu. Elle le souleva et l'apporta vers la petite table de travail au centre de la pièce. Elle l'y déposa et l'observa pendant un instant, le dépoussiérant à l'aide de la manche de sa chemise.

L'ouvrage ressemblait à tous les autres que contenait la bibliothèque. Il n'était pas très épais et avait une couverture de cuir racorni. Le titre commençait lentement à s'effacer sur le dessus, mais il était encore lisible : Shidaeh Mortaïs, écrit en grosses lettres dorées. Toute personne autre qu'Amy n'aurait rien trouvé de bien excitant dans ce livre qui semblait *des plus ordinaires au premier coup d'œil, mais la fillette avait une bonne raison de vouloir le lire. C'était tout simplement parce qu'on le lui avait interdit.*

Lorsqu'elle avait commencé ses études, sa mère lui en avait défendu la lecture, prétextant qu'il n'était pas pour une petite fille de son âge et qu'elle aurait la permission de le lire quand elle serait assez grande. Elle lui avait dit que c'était un livre spécial dont elle était la gardienne et lui avait même promis qu'un jour il lui appartiendrait. Pour cela, elle allait toutefois devoir attendre d'avoir atteint un certain âge afin de pouvoir comprendre ce qu'il contenait et ainsi mieux s'acquitter de son futur rôle de gardienne du livre. Amy avait détesté l'idée que sa mère la traite comme une enfant inculte, mais maintenant qu'elle avait le droit de venir ici seule, cela signifiait sûrement qu'elle l'estimait assez âgée pour apprendre ce qui se cachait dans ce vieux livre.

Elle l'ouvrit donc avec délicatesse et caressa doucement le vélin de ses feuilles. Elle commença à le lire et se rendit vite compte, avec une petite pointe de frustration, que sa mère avait raison. Elle ne comprenait pour ainsi dire rien de ce dont traitait ce volume. Toutefois, cela ne l'empêcha pas de le dévorer de la première à la dernière page en une journée.

* * *

— *Shidaeh Mortaïs*, répéta Amy. Cela signifie littéralement : celui dont les pages sont pures. Ces mots proviennent de l'une des plus vieilles langues de la vallée de Madenort. On ne la parle plus aujourd'hui, mais c'est la première langue que les magiciens et magiciennes apprennent à lire pour pouvoir déchiffrer les anciens ouvrages de magie. Si je ne me souvenais pas d'avoir lu l'Immaculé Manuscrit, c'est que je ne l'ai pas connu sous ce titre. Je viens seulement de faire le lien entre les deux façons de désigner l'ouvrage. J'ignore pourquoi ce souvenir m'est revenu aussi soudainement en mémoire, mais, grâce à lui, nous allons pouvoir anéantir l'empereur.

Amy s'interrompit un moment, puis poursuivit :

– Lorsque je l'ai lu, enfant, je n'ai pas compris ce qu'il expliquait, mais maintenant je comprends. Le point faible de l'empereur, continua-t-elle, les yeux fermés et tentant de se rappeler ce qu'elle avait lu, c'est son âme.

– Mais je croyais que tu avais dit qu'il ne l'avait plus, justement, son âme ! répliqua Ian.

– C'est exactement là son point faible, Ian. Pour devenir immortel, il n'y avait qu'un seul moyen : se séparer de son âme et la détruire complètement. En d'autres mots, se séparer de sa part d'humanité. Ce n'est cependant pas accessible à tous. Il faut avoir une forte puissance magique pour survivre à la déchirure du corps et de l'âme. Le fait de se séparer ainsi n'est pas difficile en soi pour quelqu'un qui sait comment le faire. Ce qui est presque impossible, c'est de ne pas périr une fois dépassée la limite de temps durant laquelle la vie est possible sans une âme. L'empereur semble être une des rares personnes à avoir réussi un tel exploit.

Amy fit de nouveau une pause, comme pour mieux rassembler ses pensées.

– Lorsque j'étais plus jeune, reprit-elle, je ne pouvais pas comprendre ce que signifiait l'Immaculé Manuscrit dont ma mère était la gardienne, et dont je serais moi-même devenue la gardienne si mon père ne l'avait pas brûlé en même temps que toute la bibliothèque. Maintenant, je comprends parfaitement ce qui y était écrit. Afin de détruire l'empereur, lui qui s'est volontairement séparé de son âme, il suffit d'introduire l'âme d'un mortel dans son corps d'immortel. Cela aura pour effet de lui redonner sa part d'humanité dont il s'est détaché, et ainsi de le rendre de nouveau mortel. Après quoi, il ne nous restera plus qu'à le mettre hors d'état de nuire.

– Attends une petite minute, s'il te plaît, Amy, dit Ian. Si ce que tu dis est vrai, cela ne reviendrait-il pas à tuer la personne dont l'âme servira à occuper le corps de l'empereur ?

– Et même si tout cela fonctionnait, comment allons-nous faire pour nous débarrasser de l'empereur ? demanda à son tour Lucas.

– Pour répondre à ta question, Ian : non. Une personne peut être séparée de son âme pendant une courte période de temps, sans en souffrir pour autant. Il nous faudra éliminer l'empereur rapidement, afin d'avoir assez de temps pour faire réintégrer l'âme dans le corps qui en aura été séparé pendant un court moment. Si nous n'arrivons pas à le faire à temps, cependant, cette âme sera perdue à jamais. Cela entraînera inévitablement la mort de son propriétaire, car aucun d'entre nous ne possède la force nécessaire pour survivre bien longtemps sans son âme.

Amy se tourna ensuite vers Lucas.

– Quant à ta question, Lucas, je ne sais pas encore comment nous allons pouvoir faire disparaître notre souverain. Nous allons devoir user de notre imagination, je crois.

– Euh… Amy ? fit Ian. C'est bien beau, tout ça, mais comment allons-nous nous y prendre pour faire sortir l'âme du corps de quelqu'un ?

– Oh ! C'est tout simple, Ian. Je suis capable de le faire depuis longtemps, même si ce n'est pas un sortilège que j'ai souvent pratiqué. Mais ne t'en fais pas, je le maîtrise assez bien.

– D'accord, répondit Ian, pas vraiment rassuré. Mais l'âme de qui vas-tu utiliser ?

– La mienne, dit Lucas.

Les deux autres se tournèrent brusquement vers lui.

– Tu es vraiment sûr, Lucas ? l'interrogea doucement Amy.

– Sûr et certain, répondit-il.

– Bon, très bien. Dans ce cas, si tout est décidé, je crois bien qu'il ne nous reste plus qu'à nous rendre au château et puis…

– Quoi ? ! C'est tout ? Rien n'a été décidé, Amy ! Nous ne savons toujours pas de quelle façon tuer l'empereur pendant le court laps de temps où il sera mortel ! Tu sais, il n'est pas seul dans cet immense palais. Il a de nombreux gardes à son service, et puis il y a aussi son bras droit, le magicien.

– Je sais tout ça, Ian. Mais je te l'ai déjà dit, nous n'avons pas beaucoup de temps. Qui te dit que l'empereur ne se désintéressera pas de toute cette histoire d'Immaculé Manuscrit et ne décidera pas de commander l'assaut de ses forces du mal plus tôt que prévu ? Nous devons nous rendre au château le plus vite possible. Nous improviserons une fois sur place.

– C'est drôle, mais je ne suis pas tout à fait sûr que ce soit une très bonne idée… Mais comme vous ne m'écoutez jamais, je crois que je vais tout simplement…

Ian se tut devant le regard foudroyant de la jeune fille. Il déglutit avec difficulté et se fit tout petit.

– D'accord, je vous suis, dit-il enfin, résigné. Je crois que je n'ai pas tellement le choix, de toute façon, ajouta-t-il d'une petite voix, qu'il fut le seul à entendre.

Se repérant à l'aide du soleil qui était en train de se lever, ils déterminèrent l'emplacement du palais et rebroussèrent chemin. Ils se dirigeraient désormais vers l'endroit d'où, quelques semaines plus tôt, ils s'étaient échappés de peine et de misère. Ils décidèrent de se déplacer tant de jour que de nuit. Peu leur importait, à présent, s'ils étaient découverts par des gardes de l'empereur. Cela ne ferait qu'accélérer leur arrivée au palais.

Chapitre 12

Retour au point de départ

Au grand désespoir d'Ian, le voyage de retour vers le château de l'empereur se fit un peu trop rapidement à son goût. En quelques jours, les trois compagnons arrivèrent devant les portes des murailles entourant l'immense palais. Alors qu'ils étaient dissimulés derrière un bosquet d'arbres quelque peu épineux, Ian se tourna lentement vers Amy.

– Tu veux bien m'expliquer comment on va faire pour pénétrer dans ce château, gardé comme nous savons qu'il l'est ? lui chuchota-t-il.

– C'est plutôt simple, Ian. Mais vous allez devoir me porter, Lucas et toi. Vous disposerez de dix minutes pour entrer. C'est le mieux que je puisse faire. La première chose que vous devrez faire une fois à l'intérieur, c'est aller libérer Mathias et les autres. S'ils sont toujours en vie, nous aurons besoin de leur aide.

– Te porter ? Mais de quoi parles-tu ? Es-tu blessée ?

Pour toute réponse, elle lui adressa un clin d'œil complice et s'absorba profondément dans ses pensées. Après quelques minutes durant lesquelles elle ne fit que remuer silencieusement les lèvres pendant qu'Ian et Lucas se regardaient sans comprendre, elle s'effondra sur le sol.

L'incompréhension se lisait toujours sur le visage des deux jeunes hommes. Puis, en un éclair ils saisirent la ruse imaginée par Amy. Ils se relevèrent d'un même bond et Lucas souleva le corps inerte de la jeune fille. Ils s'élancèrent ensuite tous les deux à découvert en direction du palais. Ils ne prirent même pas la peine de s'assurer que la voie était libre, car ils savaient qu'on les laisserait passer, pour la simple et bonne raison que personne ne les verrait. Amy avait usé du charme de l'Illusion, qu'elle leur avait expliqué lorsqu'ils étaient encore enfermés dans leur cellule. Désormais, comme elle leur avait dit, ils n'avaient que dix minutes avant que l'illusion ne s'estompe.

Comme ils traversaient l'épaisse muraille d'enceinte, de grands bruits se firent entendre et tous les gardes présents près des portes se précipitèrent vers eux... pour continuer leur chemin dans l'autre direction. Ils semblaient se rendre sur les lieux d'un événement important qu'ils étaient les seuls à voir et à entendre.

Le charme d'Amy fonctionnait ! Ian et Lucas coururent le plus vite qu'ils purent dans l'agitation générale qui semblait s'être emparée des habitants du château. Sur les épaules de Lucas, le corps d'Amy ballottait à chacun de ses pas. Ils pénétrèrent à l'intérieur sans trop de difficulté et se précipitèrent tel un seul homme à travers les couloirs sombres. Ils aboutirent enfin devant l'escalier menant aux cachots, qu'ils dévalèrent à toute allure.

Ils se jetèrent littéralement sur la cellule où étaient retenus prisonniers leurs amis, puis restèrent figés, ne sachant pas comment leur ouvrir la porte. Mathias, Timothy et Delphine les regardèrent avec de grands yeux ronds pendant un moment, puis de larges sourires illuminèrent leurs visages. Ils étaient tous vivants, Dieu merci ! Ils se ruèrent contre les barreaux de leur geôle.

– Bon sang, mais qu'est-ce qui est arrivé à Amy ? demanda Delphine.

– Rien, répondit Ian. Elle a jeté un charme d'illusion, et elle est comme ça depuis, c'est normal. Elle se réveillera lorsque les effets de son sort se dissiperont. Enfin, je crois.

– Tu veux dire que c'est elle qui a poussé tous les gardes présents dans le château à quitter leur poste aussi précipitamment ? Comment a-t-elle fait ? demanda Timothy.

– Ça, nous n'en n'avons pas la moindre idée, lui répondit Lucas. Mais nous devons nous dépêcher. Comment ouvre-t-on cette porte ?

Il donna un grand coup de pied dans le grillage et la porte s'ouvrit d'elle-même avec un formidable bruit métallique. Relevant la tête, il fixa les autres d'un air incrédule ; ils affichaient tous le même scepticisme.

– Vous croyez que ça aussi, c'est une illusion ? demanda-t-il.

Mathias leva une main, l'ouvrant et la refermant dans le vide comme pour s'assurer que la porte s'était bel et bien ouverte et qu'il n'y avait plus de barreaux devant lui. Il fit ensuite un pas hésitant en avant et traversa de l'autre côté.

– On dirait bien que non ! dit-il avec un large sourire. Jamais je n'aurais cru que ces portes étaient aussi faciles à ouvrir !

Les jumeaux sortirent à leur tour.

– Alors ? fit Mathias en agrippant le col de la chemise d'Ian. Vous l'avez trouvé ? Vous avez trouvé l'Immaculé Manuscrit ?

– En quelque sorte, répondit Ian en se dégageant. Nous vous expliquerons en chemin. Suivez-nous. Nous allons faire sortir les autres prisonniers, puis nous irons à la recherche de l'empereur.

Ils coururent dans les couloirs des cachots, donnant de grands coups de pied dans les portes des cellules afin de libérer les prisonniers qui s'y trouvaient. Les détenus ne semblaient pas en croire leurs yeux, mais l'effet de surprise s'estompa rapidement, laissant la place au ravissement et à l'enchantement d'être libre de nouveau. À un moment donné, Amy fit entendre des grognements. Lucas la déposa par terre. Elle se réveilla rapidement, se leva et adressa un sourire radieux à ses amis.

– Alors ? leur demanda-t-elle en se frottant les yeux. Ça a marché ? Les portes se sont ouvertes ?

– Oui, répondit Lucas. Comment as-tu fait ?

– Une bonne magicienne ne dévoile jamais ses secrets !

Sur ces mots, elle lui fit un clin d'œil et tourna les talons pour se diriger vers l'attroupement qu'avaient formé les gens qui venaient d'être libérés.

– Très bien, leur dit-elle. Nous avons besoin de votre aide, tous autant que vous êtes. Nous devons absolument empêcher l'empereur de détruire le pays tout entier. Pour cela, il n'y a qu'une façon, mais nous avons besoin de vous.

Elle s'interrompit devant les regards que les prisonniers lui lancèrent. À la suite de ses propos, leurs yeux s'étaient agrandis à la fois de surprise et de peur. Puis, d'un même mouvement, ils se mirent à courir en direction de l'escalier, se bousculant les uns les autres afin d'être parmi les premiers à passer. Ils s'enfuyaient tous sans demander leur reste.

– Mais non! Attendez, revenez ici immédiatement, bande de lâches! leur cria Amy d'une voix stridente et en courant derrière eux. Oh! Et puis allez donc tous au diable! Vous pouvez bien fuir, ce qui vous attend dehors n'est pas mieux que ce que vous avez connu ici de toute façon! Nous nous débrouillerons sans vous!

Sur ce, elle retourna vers ses amis d'un pas furieux et empoigna fermement Ian et Lucas par le bras. Elle jeta un regard rageur à Mathias et aux jumeaux, les intimant de la suivre, ce qu'ils firent sans rouspéter.

– Euh, Amy? fit Ian, le corps plié vers l'avant afin de suivre le rythme de la jeune fille qui le tenait toujours. Premièrement, je voudrais te faire remarquer que tu es en train de nous broyer le bras, à Lucas et à moi. Deuxièmement, comment veux-tu que nous réussissions à maîtriser l'empereur si nous ne sommes que six ?

Amy desserra aussitôt sa prise sur les bras des deux jeunes hommes et se retourna si vivement vers Ian qu'elle lui fouetta le visage de ses longs cheveux roux.

– Nous n'avons pas le choix, Ian, dit-elle d'un ton à la fois furieux et angoissé. Nous devons y aller tout de suite.

Elle se tourna ensuite vers Mathias, Timothy et Delphine pour leur expliquer la façon qui permettrait de mettre l'empereur hors d'état de nuire.

– Et quel est votre plan ? demanda Timothy.

– L'improvisation, répondit Ian en fixant Amy. C'est son idée ! ajouta-t-il en désignant la jeune fille tandis que Timothy devenait livide.

– Je vais transférer l'âme de Lucas dans le corps de l'empereur, dit Amy. Votre travail à vous, ce sera de tuer l'empereur pendant qu'il sera mortel. Vous devrez faire vite, car vous n'aurez pas beaucoup de temps avant que, privé de son âme, Lucas ne meure.

– De combien de temps disposerons-nous ? voulut savoir Delphine.

– Je ne sais pas, exactement, répondit Amy. Cinq minutes, peut-être dix, tout au plus.

– Très bien. Dans ce cas, nous devrons faire *très* vite, dit Mathias. Ne t'en fais pas, Lucas, continua-t-il. Nous agirons rapidement. Nous ne te le laisserons pas tomber !

Lucas n'eut pour seule réaction qu'un petit hochement de tête désinvolte. Ils étaient à présent sortis des souterrains du château et arpentaient les couloirs à la recherche de la salle du trône, où l'empereur devait se trouver.

Ils étaient passés par l'armurerie où Mathias et les jumeaux avaient pris des épées parmi celles que l'on distribuait aux prisonniers qui devaient affronter la mort dans l'arène. Ian, Amy et Lucas avaient toujours celles qu'ils avaient *empruntées* au moment de leur évasion.

– Amy, dit Ian. Tu veux bien nous expliquer ce que tu as fait pour faire partir tous les gardes présents dans le château ? Quelle est l'illusion que tu as créée ?

– Je me rends compte à présent que je n'aurais peut-être pas dû faire ce que j'ai fait, répondit-elle en fixant le sol. Je leur ai fait croire que l'empereur avait donné l'ordre de lancer l'assaut sur la vallée.

– Quoi ? s'exclama Ian. Pourquoi as-tu fait cela ? As-tu perdu la tête ?

– À ce moment-là, j'ai pensé que ce serait le seul moyen de les éloigner d'ici, continua-t-elle, mais maintenant je m'aperçois bien que je me suis trompée. Je me disais que les habitants du pays ne se laisseraient jamais faire si les gardes tentaient quoi que ce soit. Toutefois, je n'avais pas pensé que les monstres de l'empereur suivraient les soldats dans la vallée, ce qui pourrait bien empêcher les habitants de se rebeller. C'est pourquoi nous devons absolument nous dépêcher, avant que ma bêtise ne cause trop de dégâts dans le pays.

– Donc, ce que tu essaies de nous dire, dit Ian furieux, c'est que, en ce moment même, non seulement les gardes de l'empereur sont en train de mettre la vallée à feu et à sang, mais qu'en plus une horde d'immondes créatures s'amusent avec les villageois, qu'elles doivent considérer comme leur repas? C'est bien ce que tu dis?

– Je ne l'avais pas vraiment vu de cette façon, mais je crois bien que c'est cela, oui, répondit Amy, les yeux toujours rivés au sol.

Elle accéléra le pas. Timothy et Delphine prirent les devants pour guider le groupe vers l'endroit où ils espéraient trouver le souverain. Le silence qui régnait dans le château, dû à l'absence de soldats, donnait des frissons dans le dos à Ian et à ses compagnons.

Lorsqu'ils arrivèrent tout près de l'entrée de la salle du trône, ils resserrèrent leur poigne sur leur arme.

Amy prit alors Lucas à part et lui demanda s'il était toujours prêt à être celui qui se séparerait de son âme. Il confirma qu'il n'avait pas changé d'idée. Elle prit ensuite sa main dans la sienne, prétextant que cela servirait de lien pour le retour de son âme vers son corps.

Après avoir demandé à Lucas de s'étendre sur le sol, elle se détendit pendant quelques instants avant de commencer l'incompréhensible incantation qui déchirerait Lucas en deux. L'homme se détendit lui aussi, puis la jeune fille commença à marmonner le sortilège. La tension était à son comble.

Tout semblait fonctionner comme c'était prévu, mais soudain la voix de l'empereur s'éleva de l'intérieur de la salle du trône :

– Dois-je vous remercier de m'avoir facilité les choses, mademoiselle Amy ?

Chapitre 13

Lutte intérieure

Ian et les autres se figèrent à l'instant même où ils entendirent ces paroles, leur sang se glaçant dans leurs veines. Toutefois, Amy ne cilla point, restant concentrée sur sa formule qu'elle continua de débiter comme si rien ne s'était produit. Quant à Lucas, il ne sembla même pas avoir remarqué l'intervention du souverain. Il donnait l'impression de n'être plus tout à fait rattaché à la réalité, gisant toujours sur le sol, les yeux clos et le visage dénué de toute expression.

– Veuillez entrer, je vous prie, continua l'empereur d'un ton plein de moquerie. C'est impoli de rester ainsi dans l'ombre du couloir, voyons, on dirait presque que vous écoutez aux portes.

Une force invisible obligea Ian et les autres à entrer, mais elle ne sembla pas affecter Amy et Lucas. On pouvait voir que la jeune fille avait les yeux fermement clos, comme sous l'effet d'un effort soutenu. « Elle combat le sortilège de l'empereur en plus d'exécuter le sien », pensa Ian au moment où il lui jetait un dernier regard avant d'être entraîné de force vers l'intérieur de la grande pièce rectangulaire.

La puissance magique qui les faisait avancer, lui et les autres, disparut aussi vite qu'elle était venue, projetant les quatre compagnons à genoux, devant l'empereur et Wulfrid, son bras droit.

– On dirait bien qu'il nous manque quelques invités, commenta l'empereur en observant ses ongles d'un air absent, ses cheveux noirs tombant gracieusement devant ses yeux.

Il leva nonchalamment la main vers la porte par laquelle le groupe venait d'entrer et on entendit un petit gémissement provenant de l'extérieur. Toutefois, Amy ne montra pas le bout de son nez ; elle semblait continuer à résister.

– Elle m'ennuie, occupe-t'en, Wulfrid, dit le souverain. Amène-la-moi, ainsi que l'homme qui se trouve avec elle.

À ces mots, Wulfrid s'inclina profondément et se précipita vers la sortie. Ian fit un mouvement pour l'en empêcher, mais une puissante force le fit s'aplatir à nouveau au sol. Il releva la tête avec peine, pour voir l'empereur le fixer de ses yeux noirs et lui décocher un sourire sardonique.

– Vous ne pouvez absolument rien contre moi, pauvres imbéciles, cracha-t-il avec un air supérieur.

Son sourire s'élargit davantage. Ian sentait Delphine qui tremblait de tous ses membres à côté de lui.

– Je suis bien content que vous soyez ici, continua l'empereur. Vous avez voulu jouer au plus malin avec moi, n'est-ce pas ? Eh bien aujourd'hui, vous allez voir que personne ne peut me défier sans en subir les conséquences. Je devrais sans doute vous remercier de m'avoir évité la peine d'ordonner l'assaut de la vallée ; il a été lancé sans que j'aie à lever le petit doigt. Grâce à vous, je régnerai bientôt en roi et maître sur l'empire des ténèbres que sera devenue la vallée de Madenort. Et puis, j'ai l'impression que, lorsque je vous aurai exterminés jusqu'au dernier, je n'aurai plus à m'en faire avec toute cette histoire d'Immaculé Manuscrit. Ai-je tort ?

Personne n'osa répondre. L'empereur se remit à sourire de plus belle. Puis, une détonation retentit dans le corridor, suivie d'un grand éclair de lumière bleue et d'un grand cri. On entendit un bruit mat semblable à celui d'un corps tombant lourdement sur le sol. Ian et les autres – tout comme l'empereur – s'attendirent à voir réapparaître Wulfrid, traînant derrière lui les corps d'Amy et de Lucas, mais cela ne se produisit pas.

– Qu'est-ce que…, commença l'empereur.

Ses yeux s'écarquillèrent lorsqu'un grondement sourd, comme un roulement de tambour, se répercuta dans l'obscurité du corridor. Puis le grondement s'intensifia et un gigantesque souffle traversa la pièce, amenant avec lui un éblouissant éclair de lumière blanche qui se dirigea droit vers l'empereur : l'âme de Lucas. Amy avait finalement réussi. L'éclair frappa de plein fouet le souverain toujours assis sur son trône et disparut en lui. Puis, silence. L'empereur examina l'endroit où l'éclair avait pénétré son corps. Constatant que rien ne semblait avoir changé en lui, il releva la tête et planta son regard dans celui des prisonniers en éclatant de rire.

– Je crois que nous avons assez joué, dit-il. Il est temps pour vous de subir les conséquences de votre affront. Mais sachez que c'est en quelque sorte une faveur que je vous accorde en vous enlevant la vie. De cette façon, vous ne serez pas témoin de la destruction de la vallée, cette vallée que vous semblez aimer à un tel point que vous êtes prêts à mettre votre vie en danger pour la garder comme elle est. Je crois bien que ce ne soit la fin pour vous tous.

Il poussa un rire sadique avant de poursuivre.

– Je ne peux pas vous assurer que vous ne souffrirez pas. Je ne le sais pas, je ne suis jamais mort. Toutefois, vous pouvez vous estimer chanceux. Votre mort sera beaucoup moins douloureuse et beaucoup plus rapide que celle qui attend votre jeune amie et son compagnon. Sur ce, il ne me reste plus qu'à vous dire adieu !

Il se mit debout et leva une main au-dessus d'Ian et des autres, toujours aplatis par terre. Ils n'avaient pu se relever, l'empereur les en empêchant chaque fois qu'ils essayaient. C'était la fin. Ils mourraient tous bêtement, à genoux devant l'homme qui allait bientôt anéantir leur pays.

Une énorme masse d'énergie se forma dans la main de l'empereur, grésillant en un bruit menaçant dans sa paume. Puis, brusquement, elle se rétracta et disparut complètement. Le souverain eut l'air surpris l'espace d'une seconde, puis il se prit la tête à deux mains et se mit à hurler.

– Qu'est-ce qu'elle m'a fait ? Qu'est-ce que cette fille m'a fait ? Quelle est cette chose immonde en moi ? Je vais la tuer ! beugla-t-il. Je vais la tuer ! répéta-t-il encore plus fort.

L'expression de confiance qu'il arborait au début avait disparu pour laisser place à la démence. Il se dirigea à grands pas vers le couloir, mais, avant d'atteindre la porte, il s'arrêta net, les membres tremblants.

– Je ne vous laisserai pas faire.

Ces mots étaient bel et bien sortis de sa bouche, mais ce n'était certainement pas lui qui les avait prononcés. Ian eut un hoquet de surprise en reconnaissant la voix. Lucas !

– Je ne vous laisserai pas lui faire du mal ! répéta Lucas à travers la bouche de l'empereur.

Sur ce, l'empereur fit demi-tour et, guidé par Lucas, il revint vers Ian et ses compagnons. Ian sourit au souverain, ou plutôt à Lucas ; il n'était plus sûr lequel des deux avait le contrôle pour l'instant. Puis il se releva, le poids qui l'en empêchait auparavant s'étant volatilisé. Les autres l'imitèrent. Ils dégainèrent chacun leur épée et l'empereur fit de même. Il semblait avoir momentanément retrouvé la maîtrise de son corps et de ses pensées. Un rictus anima ses lèvres comme il se préparait à charger contre Ian.

– Je prépare ma victoire sur ce pays depuis quatre cents ans, dit-il. Pendant toutes ces années, nombreux ont été ceux qui ont essayé de m'arrêter, mais aucun n'y est parvenu. Vous ne réussirez pas plus aujourd'hui que tous ceux qui se sont risqués avant vous.

À peine eut-il esquissé un geste vers Ian que Lucas reprit le dessus dans son esprit et l'empala avec sa propre arme. Un hoquet de douleur s'échappa des lèvres du souverain et ses yeux s'agrandirent sous l'effet de la souffrance.

Ian plongea son regard dans celui de l'empereur et laissa échapper un cri de stupeur. Les yeux noirs de l'homme devant lui avaient changé du tout au tout et celui-ci le suppliait maintenant silencieusement à travers les yeux de Lucas. À cette vue, Ian lâcha son arme et recula vivement. Du sang s'écoulait à présent lentement de la bouche du souverain. Sa fin était proche. Avec un dernier petit sourire en coin tremblotant, il s'effondra sur le sol.

Il eut un nouveau hoquet. Puis, en laissant une longue trace de sang derrière lui, il rampa jusqu'à Ian et s'agrippa à ses chevilles. Ian lui donna un coup de pied pour le faire lâcher prise.

Le monarque laissa tomber lentement sa tête sur le côté et poussa un long et dernier soupir déchirant. À peine eut-il expiré pour la dernière fois qu'une nouvelle détonation se fit entendre et qu'un énorme souffle se répandit dans la pièce. Celui-ci sembla s'étendre dans toute la vallée telle une gigantesque vague invisible, en détruisant sur son passage les forces des ténèbres présentes dans le pays.

L'éclair de lumière blanche s'éleva lentement du corps sans vie de l'empereur. L'âme de Lucas se dirigea ensuite vers le couloir où reposait le corps auquel elle était normalement rattachée.

Ian et les autres la suivirent. Dans le couloir, Amy était toujours assise près du corps de Lucas et elle lui tenait toujours la main. Tout près d'elle gisait le corps inerte de Wulfrid, appuyé contre le mur. Un mince filet de sang coulait le long de sa tempe. Il était mort, lui aussi.

La jeune fille ne leur accorda même pas un regard lorsqu'ils s'approchèrent d'elle. Elle tremblait de tous ses membres et gémissait doucement tandis qu'elle tentait de forcer la lumière vacillante qui flottait toujours au-dessus d'eux à rentrer dans le corps de Lucas. Soudain, elle se mit à pleurer.

– Qu'est-ce que tu fais, espèce d'idiot ? hurlat-elle avec l'énergie du désespoir. Retourne dans ton corps pendant qu'il en est encore temps ! Tu as fait ce que tu devais faire, alors s'il te plaît, reviens ! Je t'en supplie, Lucas !

Elle fixait le halo d'un blanc laiteux qui tremblotait dans les airs pendant qu'elle parlait ou, plutôt, criait.

La lumière commença alors à s'estomper tranquillement, sa couleur s'effaçant peu à peu. Elle fut bientôt réduite à une minuscule petite boule frémissante. Enfin, elle disparut complètement. La pression qu'exerçait la main de Lucas sur celle d'Amy se relâcha d'un seul coup. La tête de l'homme retomba mollement sur le côté.

– Non, s'écria Amy. Non, s'il vous plaît !

Elle éclata en sanglots.

Chapitre 14

Le secret de Lucas

Lucas avait eu des petites difficultés au marché ce jour-là. Entre autres, il s'était disputé avec le marchand de poissons sur le prix que celui-ci demandait pour ses produits. Le marchandage avait duré un bon moment, puis Lucas avait décidé de repartir les mains vides. Il était d'humeur maussade lorsqu'il rentra chez lui. Toutefois, il savait bien que le simple fait de voir le visage radieux de sa femme, Élizabeth, lorsqu'il franchirait le pas de la porte aurait tôt fait de le calmer.

En ouvrant la porte de la petite chaumière qu'il habitait, il constata que tout était sens dessus dessous. La table et les chaises avaient été renversées et les fenêtres, fracassées. Sa femme gisait en plein milieu de l'unique pièce de leur maison. Morte. Il se précipita sur elle. Un filet de sang coulait le long de son doux visage et ses yeux gris, toujours ouverts, étaient voilés. Elle semblait avoir été sauvagement battue, à en juger par les hématomes et les contusions qui recouvraient son corps frêle. Il approcha une main tremblante près du visage de sa bien-aimée.

Au même moment, il entendit quelqu'un bouger derrière lui et il se retourna. Dans le cadre de la porte se tenait Anna, la petite fille de leur voisine. Elle le regarda avec de grands yeux ronds remplis de terreur, puis se mit à hurler au meurtre. Lucas, dont le visage était mouillé de larmes, se releva prestement.

– Anna, tu ne comprends pas ! Ce n'est pas moi qui… je ne lui ai rien fait !

Mais le mal était déjà fait. Bientôt, des dizaines de gens vinrent se masser devant la petite maison. Puis des hommes entrèrent dans la demeure afin d'arrêter Lucas pour un crime qu'il n'avait pas commis, mais pour lequel il se sentirait coupable pour le reste de ses jours. Il ne protesta pas devant leurs accusations, trop abasourdi par ce qui se passait. Il n'aurait pas dû rester si longtemps au marché. Que représentait le prix d'un misérable poisson, comparé à la vie de sa femme ? Il aurait pu empêcher cette tragédie, qui lui semblait inexplicable, s'il était arrivé à la maison plus tôt. Qui avait bien pu faire une chose pareille à Élizabeth ? L'étau qui serrait déjà la poitrine de Lucas se resserra et il laissa échapper un sanglot déchirant. Tout était sa faute. Il ne se le pardonnerait jamais.

Il ne se rendit même pas compte que les villageois le traînaient jusqu'à la prison. Plus rien n'avait d'importance pour lui à présent. Rien ne pourrait jamais lui ramener la femme de sa vie ; elle était partie pour toujours. Et c'était sa faute.

* * *

Lucas entendait Amy le supplier de revenir dans son corps, mais il ne voulait pas. Il luttait aussi fort qu'il le pouvait pour empêcher la sorcière de l'y faire retourner de force. C'est qu'elle était puissante, Amy! Elle s'était débarrassée de Wulfrid sans faire le moindre geste. Lorsque l'homme s'était approché de la jeune fille dans son dos, il avait reçu une décharge d'énergie. Il s'était aussitôt effondré contre le mur, mort. Lucas n'était même pas sûr qu'Amy se soit aperçue de ce qu'elle avait fait, au moment où cela s'était produit. Il savait maintenant qu'il n'avait pas à s'inquiéter pour ses amis, ils allaient tous s'en sortir. Ils avaient fait preuve de beaucoup de courage et d'habileté depuis le début. Il avait confiance en eux.

Lorsqu'il eut conscience que le monde autour de lui commençait à se dérober, il sentit une immense vague de joie l'envahir.

Il eut toutefois une pointe de tristesse à la vue de la jeune fille qui se démenait comme une folle pour le faire revenir, mais il était trop tard à présent. Il était déjà mort. Le lien qui le rattachait au monde des vivants était rompu, il le sentait, il se sentait partir doucement. Il entendit Amy, en sanglots, le supplier une dernière fois. Puis, plus rien. Il allait enfin rejoindre son Élizabeth…

Épilogue

Ian, Amy, Mathias, Timothy et Delphine avaient eu beaucoup de difficulté à se rendre au sommet des montagnes qui entouraient la vallée, mais ils y étaient finalement parvenus.

Il y avait plusieurs semaines déjà que l'empereur était mort – mais, aussi, qu'une bonne partie de la vallée avait été détruite. Après l'affrontement avec le souverain, ils avaient pris la décision de quitter le pays. Ils étaient d'avis que, les forces du mal ayant été complètement anéanties, le territoire derrière les montagnes devait être sûr à présent. Ils n'étaient d'ailleurs même plus convaincus que ces terres aient déjà abrité une quelconque force ténébreuse. L'empereur avait peut-être simplement fait répandre cette rumeur afin d'empêcher quiconque de quitter le pays comme eux-mêmes s'apprêtaient à le faire.

La situation dans laquelle ils abandonnaient le pays était plutôt précaire. L'empereur disparu, il n'y avait plus d'autorité, personne qui régnait. Cela entraînait des conflits, différentes personnes voulant s'autoproclamer le souverain. Toutefois, Ian et ses compagnons étaient certains que la crise anarchique passée, les habitants trouveraient un terrain d'entente entre eux et que la paix et l'ordre s'installeraient dans le pays.

C'est Ian qui avait proposé l'idée de quitter la vallée. Il y avait tant à refaire, tant à reconstruire, qu'il préférait partir, tout simplement. Les derniers événements l'avait poussé à réfléchir sur ce pays, qu'il ne considérait plus comme le sien. Le lien d'appartenance qu'il avait avec la vallée de Madenort s'était rompu avec la mort Lucas. Il ne pouvait pas supporter l'idée de continuer à vivre dans ce pays, d'où sa décision de partir. Amy avait été la première à se décider à l'accompagner, immédiatement suivie de Mathias et des jumeaux.

Tous se tenaient à présent au sommet des montagnes dominant la vallée, au sud du pays. Leur voyage, bien que long et difficile, s'était déroulé sans embûches. En raison de la crise qui secouait le pays, les gens ne se préoccupaient nullement des inconnus de passage.

Ian et ses amis se recueillirent un moment à la mémoire de Lucas qui avait décidé, pour une raison qui leur resterait pour toujours inconnue, de ne pas réintégrer son corps et de laisser la mort le saisir. Peut-être avait-il planifié cela depuis le début, mais ils ne le sauraient jamais.

Ils contemplèrent ensuite l'immense territoire qui s'étendait à perte de vue devant eux. Qu'allaient-ils y découvrir ? Ils n'en savaient rien, mais une chose était sûre : ils avaient bien hâte de voir ce qui les y attendait.

Ian regarda ses compagnons, puis prit la parole.

– C'est drôle, vous ne trouvez pas, comme une situation peut se retourner au tout dernier moment ? Une seconde, tu crois que tu vas mourir et, la seconde d'après, tu es toujours en vie et hors de danger. Si cela nous est arrivé à nous, c'est grâce à Lucas. Je lui en serai reconnaissant toute ma vie.

Lorsqu'il prononça ce nom, Amy émit un petit gémissement. Elle ne s'était toujours pas pardonné la mort de Lucas même si, en quelque sorte, ce n'était pas de sa faute.

– Je crois que nous lui en serons tous reconnaissants toute notre vie, répondit Timothy.

Mathias, Delphine et Amy hochèrent la tête.

– Bon, eh bien, je crois que nous pouvons y aller, maintenant, dit Ian. Vous êtes toujours sûrs de vouloir m'accompagner ?

– Bien sûr que oui, répondit Mathias.

Ian regarda les jumeaux, qui lui firent un signe affirmatif. Il tourna ensuite son regard vers Amy qui, pour toute réponse, prit sa main dans la sienne et la serra fort. Le rouge monta aux joues du jeune homme, qui tenta maladroitement de le dissimuler. La jeune fille ricana doucement.

– Dans ce cas, je crois qu'il ne nous reste plus qu'à nous mettre en route, dit Ian, gêné.

Il se tourna du côté de la vallée.

– Au revoir, dit-il. Nous t'avons protégée du mieux que nous avons pu. Espérons que nos efforts n'auront pas été vains. Tu dois maintenant faire face seule à l'adversité, mais je suis sûr que tes habitants sauront te guider de la bonne façon.

– Euh… Ian ? Tu es conscient que tu t'adresses à une *vallée* en ce moment ? lui fit remarquer Timothy, un grand sourire aux lèvres.

Amy regarda le jeune homme avec des yeux moqueurs.

– Je sais, Timothy, dit-il. Je sais.

Sur ce, il tourna le dos à sa terre natale et fit face à la nouvelle contrée qui allait bientôt l'accueillir. Puis, d'un pas léger, il ouvrit la marche et commença à descendre la montagne. Direction : la vaste étendue de territoire qui se trouvait de l'autre côté des limites de ce qui avait jadis été son pays.

FIN